冬青樹

林◆海◆音◆作◆品◆集

冬青樹

文／林海音

遊目族

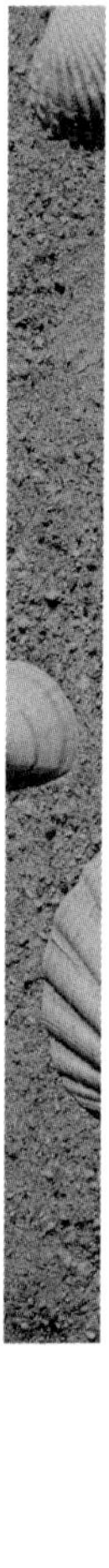

目錄

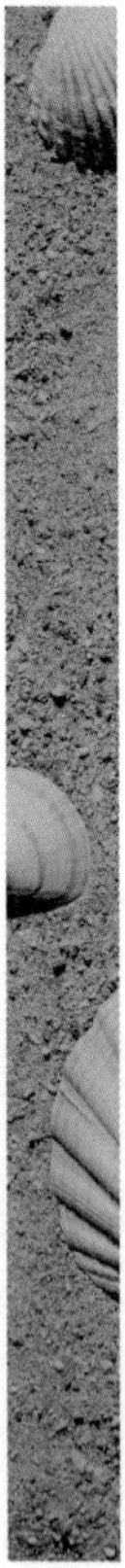

◆第四輯

◆第五輯

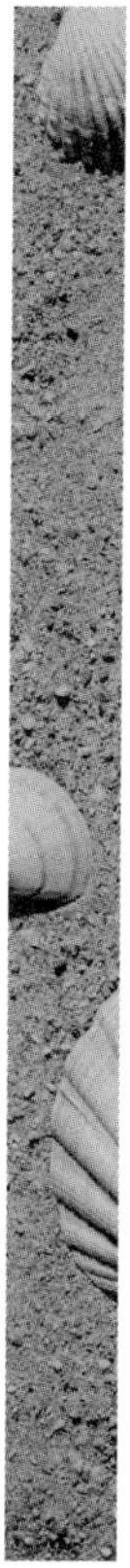

〈總序〉

超越悲歡的童年

齊邦媛

在新的千年開始時，遊目族文化事業公司出版《林海音作品集》是一件極有魄力且影響深遠的文壇盛事。新版聚攏了已開始散失的作品，給它們注入新生命，使新世代的讀者可以看到上一代的文采風貌，也給已逝的世紀保住了珍貴的文獻。林海音的身世背景、生長過程和豐盛的文學生涯見證了二十世紀台灣的省籍融合和文學胸襟的開拓。她個人在大陸的生長經驗和對台灣本土作家的發掘與鼓勵，對台灣文壇有極大貢獻，也具有難於超越的代表性。

海音在三十七年由北平回到光復後的台灣。當那艘船駛入青山環繞的基隆港時，她的心中必有一種強烈的感動，因為她回到父母生長的故鄉來了。她在《綠藻與鹹蛋》小說集的序裡說：「幾乎是從上了岸起，我就先找報紙雜誌看，先弄個破書桌開始寫作。」在這個書桌上開始了一個文人最豐富的一生。她不僅寫下了多篇必能傳世的小說和散文；也曾成功地主編聯合報副刊十年，提升了文藝副刊的水準與地位；更進而自己創辦純文學出版社，發掘、鼓勵了無數的青年作家。

林海音作品中所呈現的是一個安定的、正常的、政治不掛帥的社會心態。她的小說集《城南舊事》、《燭芯》和《婚姻的故事》中，多篇是追憶她童年居住北平城南的景色和人物。其中如〈惠安館〉和〈驢打滾兒〉等篇，雖是透過童稚的眼睛看大人的世界，卻更啓人深思。由於孩子不詮釋、不評判，故事中的人物能以自然、眞實的面貌出現，扮演他們自己喜怒哀樂的一生。〈金鯉魚的百襇裙〉和〈燭〉進一層探討女子在不合理的婚姻中抑鬱終生的悲劇。她的長篇小說《曉雲》寫的是台灣的一個自主自立的現代女子，「暗中摸索」人生與愛情。作者常用近似意識流的自敘法和象徵性手法，故事的發展和她內心的困惑有平衡的交代。文字風格的超逸，給全書抒情詩的情調。曉雲的處境引起的同情反而多於道德的評判了。

在《城南舊事》裡，〈惠安館〉、〈我們看海去〉、〈蘭姨娘〉和〈驢打滾兒〉四篇都可以單獨存在，它們都自有完整的世界。但是加上了前面兩篇和後面兩篇，全書應作一本長篇小說看。作者自己在〈冬陽．童年．駱駝隊〉一文中即說：「收集在這裡的幾篇故事，是有連貫性的。」讀完全書後，我們看出不僅全書故事有連貫性，時間、空間、人物的造型、敘述的風格全都有連貫性。

貫穿全書的中心人物是英子。時間是民國十二年開始。英子由一個七歲的小女孩長大到十三歲。書中故事的發展循著英子的觀點轉變。故事雖是全書骨骼，她的觀察卻給它血肉。英子原是個懵懂好奇的旁觀者，觀看著成人世界的悲歡離合，直到爸爸病故，她的童年隨之結束，她的旁觀者身分也至此結束，在十三歲的年紀「開始負起了不是小孩子該負的責任」。人生的段落切割得如此倉卒，更襯托出無憂無慮的童年歡樂的短暫可貴。但是童年是不易寫的主題。由於兒童對人生認識有限，童年的回憶容易陷入情感豐富而內容貧乏的困境。林海音能夠成功地寫下她的童年且使之永恆，是由於她選材和敘述有極高的契合。

偌大的北平城，跨越了極深廣的時空的古城，在一個孩子的印象裡卻只展示了它親切的一角——城南的一些街巷，不是舊日京華的遺跡，卻是生生不息的現實生活，活得熱熱鬧鬧的。英子的家已經有了四個妹妹和兩個弟弟，胡同口還有「惠安館」中的瘋姑娘和苦命的妞兒。她們傳奇性的結局是故事，但是卻不是陰黯的故事。作者將英子眼中的城南風光均勻地穿插在敘述之間，給全書一種詩意。讀後的整體印象中，好似那座城和那個時代扮演著比人物更重的角色。不是冷峻的歷史角色，而是一種親切的、包容的角色。《城南舊事》若脫離了這樣的時空觀念，就無法留下永恆的價值了。讀者第一遍也許只看故事，再回頭看看，會發現字裡行間另有繫人心處。林海音的文筆最擅寫動作和聲音，而她又從不濫用渲染，不多用長句，淡淡幾筆，情景立現。因此看似簡單的回憶，卻能深深地感動人。有了這樣的核心，這些童年的舊事可以移植到其他非特定的時空裡去，成為許多人共同的回憶。

《城南》一書中人物除了英子的雙親之外，與她童年歡樂的記憶有最密切關聯的要算宋媽了。在各篇中宋媽可說是無處不在，無疑地也是讀者印象中最難忘的人物。這位命運悽苦的卑微人物，在英子的回憶中自有她的智慧和尊嚴。作者在講別人的故事時常會插上一段描寫宋媽的文字。這些片段連綴起來合成一幅鮮明的畫像——不僅是宋媽的畫像，也可說是那個時代北方鄉村婦女的典型了。她被生活所迫，來到英子家中幫傭，但是主僕關係之外漸漸發展出一種朋友的關係。她不僅直接分享這家人的喜怒哀樂、生老病死，也常常是英子的人生課程的啓蒙師。她淳樸簡單的智慧時時是童騃的英子與現實世界的一座穩妥可靠的橋。

林海音在台灣開始寫作的年代（民國四十年前後），西方文學批評理論還沒有影響中國作家。至少像結構主義等還沒有今日響亮。但是成功的作品自有它完整的結構，讓錯綜複雜的人際關係各就其位，整體綜合再顯現出全篇的主題。〈驢打滾兒〉就是個很好的例子。在表面上它幾乎沒有緊湊的情節。但是在這個九歲的女孩——英子眼中看到的小世界後面卻是一個悲慘的大世界。從頭到尾作者不曾逾越這個孩子有限的觀察。她的天地幾乎是局限在五十年前北平城裡的一個四合院裡，院子裡住著的是她和樂溫飽的一家人。家就該是這個樣子，她弟弟的奶媽——宋媽是個會講鄉村故事、會納布鞋底子、會抱著她妹妹唱兒歌：「雞蛋雞蛋殼殼兒，裡頭坐個哥哥兒……」的人，與她們生活息息相關。英子看不到，也想像不到宋媽夫離子散的家庭，更不用提人生更多悲悽割捨了。她只知道宋媽爲了「一個月四塊錢，兩副銀首飾，四季衣裳，一床新鋪蓋」到她家幫傭，一做四年。宋媽和她那「黃板兒牙」的丈夫那時大約都不到三十歲，卻給人一種蒼老的感覺。每次這個男人牽著驢來的時候，故事的發展就升高一層。這匹愚鈍固執的牲口成了貫穿全局的象徵。四年前宋媽剛來時，這頭驢首次出現，然後每年來兩次，都被拴在院子裡，「滿地打滾兒，爸爸種的花草，又要被蹧踐了。」

驢子每次的出現不僅是作情節的聯繫，也襯托乃至增強了人物的造型。宋媽的丈夫又來的時候，終於說出了家中眞相——宋媽日夜掛念的兒子小拴子早已在河裡淹死了。那個出生連名字都沒有的「丫頭」，在抱離母懷當天，還沒出城門就送給了不相識的人！當宋媽悲泣時，這頭驢子在吃乾草，「鼻子一抽一抽的，大黃牙齒露著。怪不得，奶媽的丈夫像誰來看，原來是牠！宋媽爲什麼嫁給黃板兒牙，這蠢驢！」很明顯的，在小孩的眼中，驢與宋媽的丈夫的形象已經合而爲一。這個典型的「沒有出息」的失敗者與他的驢是分不開的。他每次來都趕著驢穿過幾十里的黃土地，藍布的半截褂子上蒙了一層黃土。這黃土是北方乾旱的原野上長年吹著的風沙，是大自然的勝利的見證，也是質樸愚騃的農民終歲勞苦奔波於生計的場所。

如果不穿透作者故意佈下的童稚的迷茫，〈驢打滾兒〉似乎有些詩意的情調。這篇城南舊事和許多童年美好的回憶一樣，已在遙隔的時空裡濾掉了許多愁苦，只剩下笑淚難分的懷念。只是宋媽和與她命運相同的女子不允許我們忽視現實。不僅那黃板兒牙的男人和驢子滿身塵沙，作爲故事題目〈驢打滾兒〉的小點心也是帶著卑微但卻親切色彩的鄉下食物，用世代相傳的土法蒸的黃褐色的小圓餅，在綠豆粉裡滾一滾，也就是塵土色了。宋媽把英子帶出她舒適的小院子去找尋丫頭子。在古城塵土覆蓋的街巷中走著，吃幾個這種塵土色的驢打滾兒小餅，繼續穿街走巷找尋那個沒名沒姓的骨肉。這一場無望的掙扎，注定了要失敗的。尋覓無望之後，英子的小世界有了顯著的變化：宋媽不再講小拴子放牛的故事了，兒歌也不唱了。以前她把思子之情灌注在納得厚厚的鞋底上，好似祝禱兒子能穩穩地站在無母的歲月裡等她回去團聚。如今「她總是把手上的銀鐲子轉來轉去的呆看著，沒有一句話。」

故事的結束可以說是傳統式的，宋媽終於跟她的丈夫回鄉去了。她希望再生孩子。小拴子和「丫頭」也許是命中與她無緣，因爲中國在世世代代的希望幻滅之後，不得不將生死聚散歸爲緣分。如同英子的母親說的，「是兒不死，是財不散。」宋媽對命運最大的挑戰大概是再生些兒子吧？她騎驢上路的時候，「驢脖子上套了一串小鈴鐺，在雪後新清的空氣裡，響得眞好聽。」這是第一次有歡愉的事與這頭驢有關聯。也許小女孩只在想宋媽不久即將再生可愛的小孩，所以鈴鐺響得好聽。實際上，宋媽的困境並未結束。但是人活著總得有份希望，即使是那頭驢灰撲撲的脖子也掛了一串鈴鐺。在生活的實際奮鬥中，絕望也不是件容易的事。

林海音在後記中說：「每一段故事的結尾，裡面的主角都是離我而去，一直到最後的一篇〈爸爸的花兒落了〉，親愛的爸爸也去了。」宋媽這樣地離去，是悲是喜，似非英子所能理解，但是書中因爲有了宋媽和她的故事，而加添了多層的深度。《城南舊事》在英子的歡樂童年和宋媽的悲苦之間達到了一種平衡。掩卷之際，讀者會想，「看哪，這就是人生的最簡樸的寫實，它在暴行、罪惡和污穢佔滿文學篇幅之前，搶救了許多我們必須保存的東西。」

這一篇我爲《城南舊事》寫的序文原是我在七十一年在美國加州大學講授台灣文學的一篇講稿，七十二年「純文學出版社」重排此書時林海音要我把這份分析與講解寫成序文。

初識海音是在讀她的《曉雲》之後不久，對她的文采與書中濃郁的關懷之情深感佩服。六十四年我主編的《中國現代文學選集（台灣）》英文本由美國華盛頓大學出版社發行，海音的〈金鯉魚的百襉裙〉是第一篇短篇小說，讀者反應很好，記得當我們英譯送請編審委員吳奚眞教授審稿時，一向嚴肅，不苟言笑的奚眞先生竟然感動落淚，暫忘了兩種語言的差距，在〈婚姻的故事〉中，作者以敏銳纖細的人生觀察寫出了二十世紀初葉，中國社會所允許，乃至鼓勵的種種性別不公平現象，其中〈燭〉尤其令人難忘，那個必須隱忍的「賢德」女子竟逃避到一燭光照的蚊帳之內，自囚終生！平日爽朗談笑，豁達舒展的海音，卻在寫小說時以無比的慧心將她的觀點濃聚在一條裙子、一支燭光中，令讀者在引伸思考之後感動難忘，和宋媽乘坐那匹驢子的鈴聲一樣，在雪後的清晨，響著無數可能的未來。

自一九七〇年代，殷張蘭熙將海音的小說英譯集成《綠藻與鹹蛋》等書，她也已將《城南舊事》前三篇譯成英文。我七十四年遭到車禍坐在輪椅上，將後兩篇譯出，寫了序，八十一年由香港中文大學出版社出版。在那本淡雅美麗的封面上有冬陽，有駱駝，書名 Memories of Peking- South Side Stories 。下面是作者林海音，英譯者殷張蘭熙和我的名字。念塵世生命之脆弱短暫，更感文學生命之久長。這一本書竟成了我們數十年談文論藝最美好的見證了。

〈序〉作家・主編・出版人

鄭清文

三島由紀夫（一九二五—七〇）是多種身分的日本著名文學家。不過，開高健（一九三〇—八九）說他「一是評論家，二是劇作家，三是小說家。」三島如果聽到這些話，或許會感到一點悲涼吧。

林海音先生（我們都這樣稱呼她），也是一位身兼數職的文學家。她是主編、作家，也是出版人。從作品而言，她寫小說，也寫散文。

聽說她做《聯副》的主編時，因爲登了一首小詩，犯了禁忌，引咎下台。後來，她創辦了《純文學》雜誌，自任編務。不管是《聯副》或《純文學》雜誌，做爲一位主編，她具有獨特的眼光和作爲。當時戰鬥文學昌盛，她卻能把目光轉向純文學，刊用不少被其他報章雜誌所摒棄的優良作品，可說膽識過人。

林海音曾經告訴我，黃春明有兩篇文章，寫得很好，卻不敢用。這是時代的無奈。後來，她還是冒險用了。這是她喜愛好作品，敬重好文學的天性。她還告訴我，她退了一位名作家的稿。我很驚訝，也很好奇，問她用什麼理由說服對方。她說，這種文章不能登，否則會損傷作者以往的盛名。這是一位好編輯的面目。

林海音創辦《純文學》雜誌，是她的夙願。這份雜誌雖然只維持了五年（一九六七—七二），卻登了不少具有代表性的作品，包括小說、詩、評論和散文。這份雜誌在文學比較貧瘠的時代，提供了一個非常重要的園地。這也是她對台灣文學的貢獻。辦雜誌，最大的困難是稿源和讀者。以林海音的眼光和待人接物的風範，稿源問題似乎較小。但是因爲她標榜純文學，爲讀者劃了一條界線，限制了雜誌的銷售量。這也是純文學雜誌的宿命。

實際上，一位優秀的編輯和一位優秀的作家有一個共同點，就是能夠賞識好的文學作品。林海音是一位主編、作家和出版人。其中，最重要的應該是做爲作家的角色。她寫小說，也寫散文。她的小說遠比散文重要。她最後的小說《孟珠的旅程》，在一九六七年出版，做爲一個小說家，她已結束。不，應該說是已完成。以後，她雖然繼續寫文章，卻以散文爲主，包括遊記。她寫小說的終結點，正是她創辦《純文學》的起點，可見她爲了這個雜誌，犧牲了小說的創作。

林海音所處的是一個特殊的時代，很多人寫大時代、大主題。她卻寫生活、寫愛情、婚姻與家庭。她寫作的重點是女人的歡喜和悲哀。她的文學能深入社會，所以更能寬闊和深厚。

她雖然寫日常生活，卻也未忘記她所處的時代。她寫二十年代的北京，三十年代的南京，以及以後的台灣。她寫時代的交替，戰爭的陰影，兩地人民的阻隔。

台灣的文壇不是緩和前進的。一下子戰鬥文學，一下子現代主義。林海音文學，便是在這些文學的大潮流中間，守著自己的分寸。有一段時期，文壇風行文字的雕鑿，林海音卻充分使用生活語言，用她那敏銳的感受和細膩的筆觸，寫下社會的生態。她是擅於寫時代的女人。

她所處的，不管是中國或台灣，都面臨一個急激的變化。這使人和人的關係更加複雜，也更加尖銳，因此也導致各形各色的悲喜劇。社會和文學都在轉變中，林海音並不扮演一個開創者，她只做一座橋。

從前，有一位文學評論者，喜歡提出一些驚人的見解。他說某個文壇新星出現了，舊的作家，像葉石濤，都已過時了，只能做墊腳石。現在，二十年過去了，葉石濤還是屹立不墜，新星也沒有變成巨星。喧嘩和平實之間，應該如何選擇，是需要一點時間的。

金字塔並不是蓋在半空中。它是用一塊一塊的大石頭，紮實的堆上去的。墊腳石，其實也就是礎石，是金字塔的一部分。台灣的文學，一直沒有建立在穩固的基礎上，是因爲大家都想做堆在金字塔尖頂上的石頭。大家不知道要有更堅實的基礎，才能堆得更高，文學是多樣的，基礎卻是一種——從生活開始，正如繪畫要從素描開始一樣。

林海音把傳統文學的紮實基礎帶到台灣來。但是，在追求飛躍的文壇，她所受到的注意，除了《城南舊事》，似乎略嫌不夠。她的文學，聲光都不大，卻已樹立了一種典範。我們從她的作品，可以看到文學的莊嚴和尊貴。她能編，也能寫。兩者都使台灣的文學更爲充實。

林海音是一位直爽、敏銳，勇於力行的文壇長輩。她廣結善緣，敬重同輩作家，也鼓勵後輩。做人、做文學，她都一貫。由於她有這種特質，她一直走著平坦的路。她自己走這一條路，也帶著別人走這一條路。這是林海音，同時也是林海音文學。

〈原序〉

四分之一世紀

——純文學版《冬青樹》重排前言

林海音

民國四十四年秋天，重光出版社的創辦人陳紀瀅先生來，說想邀我把作品輯集交重光出版，這便是於當年十二月所出版的我的第一本文集《冬青樹》，距今整整二十五年，有四分之一世紀了。紀瀅先生在數年前就對我說，重光不再經營，作者們的著作，都可以收回自理。我所以遲至今天才又重排出版，是一直在考慮，我是否應當將《冬青樹》重新編排，增添或刪減什麼的，但是最後還是決定仍照原來面目出現，好留下作者當年寫作的痕跡，以及四分之一世紀前的當時社會情況、家庭生活、人們的思想等等，因爲這些都曾在我的筆下描繪過。這本作品如能留諸後日，才算有些意義吧！所以，這本《冬青樹》，仍是二十五年前的那本《冬青樹》。

重新校對發排的時候，把自己的作品又仔細的閱讀一遍，當年的生活情景，又歷歷來在眼前。我略統計了一下，收在本書裡的最早的作品，是民國三十九年婦女節刊出的〈爸爸不在家〉一文，最晚的是民國四十四年七月在《聯合報副刊》刊出的〈小紅鞋〉一文。再計算一下我當年投稿的報刊，三十二篇作品中，在《中央日報》的《中副》和《中婦》刊出的竟佔了幾近一半——十五篇之多，而整個的作品內容，無非是針對家庭、倫理、婚姻、兒教而發，當時當然也曾寫了許多其他散文短篇，但收於《冬青樹》的，則是有意指向這方面的作品。

這倒使我回憶起當年的投稿之樂了。首先我要提起的是《中副》和《中婦》；當年帶著濃厚文藝氣息的報紙副刊是《中副》，主編是筆名「茹茵」的耿修業先生，當《中央日報》在台復刊不久，我便向《中副》投稿了。接著《中央日報》的《婦女與家庭》週刊出現，我又多一個投稿的地方。很快的，在版面上，就認識了許多作者，如謝冰瑩、張秀亞、徐鍾珮、琦君、劉咸思、王琰如、郭良蕙、艾雯、劉枋、孟瑤、張漱菡……諸位。《中婦》的主編是武月卿，她所主編的《婦女與家庭》，說實話是文藝佔百分之九十，只有少而又少的實用文章，這就是爲什麼我們大家給《中婦》所寫的稿，並非炒菜與洗窗的方法，而一篇篇都是身邊瑣家的散文，或婦女問題的故事了。武月卿大約在民國四十四、五年赴美工作、結婚、定居，二十多年來，她雖未曾返國一行，但是大家都一直跟她有聯絡，有赴美的機會，也都會到舊金山找她。我那時寫稿的興趣很高，除了以「海音」爲名撰稿外，也常常以其他筆名用第一人稱撰寫一些問題小說（如收在本書的第四、五輯的小說）。只有第一輯中的九篇散文，大概可以說是背景出自舍下了，文中的孩子們，當時最大的兒子，尚在小學，現在已經要進四十歲大關了！而那最小的老四，那時不過剛牙牙學語，現在也大學畢業好幾年，快要結婚了。而我呢，花甲已過，兒孫滿堂了，重校讀舊作，怎不教我感慨系之，歎時光何其迅速呢！

在《中副》、《中婦》之後，投稿多的地方就是《新生報》的《新生婦女》週刊，主編是張明大姊，她主編的《婦家》，倒是實用文章多一些。民國四十二年起，我自己也開始主編《聯合報副刊》，所以也在《聯副》上刊了一些同樣性質的散文或小說。記得那時年少體健，在工作、家事之餘，似乎還有得是精力，燈下握筆，思潮如湧，幾乎每天都能爲報刊寫個數千字的短篇。雖說是爲生活找些貼補，但主要還是爲興趣。而且因爲寫作，和許多同好的朋友交往，友情更是我這一生所引爲最有獲益的事。所以重排本書，女兒爲我校對，連她都邊校邊說：「媽媽，你們那時眞窮啊！怎麼你還過得那麼快樂？」我說：「這才叫做窮開心嘛！」

「窮開心」的日子，一晃二十五年了，二十五年是一個世紀的四分之一；是兩次世界大戰的距離；是一個男孩子從出生到大學畢業並且服過兵役的時間；而《冬青樹》就在這麼長一段時間後，仍以本來面貌和讀者見面。我更喜悅的是，二十五年，我雖仍平凡如昔，但看國家社會的進步，我家子女的成長，友情的長存，也就應當滿足了。

六十九年七月

〈重光版序〉

我的太太林海音

夏承楹

這是海音的第一本文集，校閱既畢，略述所感，以代序言。

我是一個文科學生，畢業於「吃飯大學」（師範大學），但是對於吃教書飯的興趣卻不濃厚。無意中一腳踏進新聞界，一晃兒已經二十年了。其間編編副刊，弄弄文藝，所寫所譯，多是零碎應景文章，故此既談不到收穫，更說不上成就。然而我並不因此而有悔意，因為進報館後才結識了海音，這就是我的生命中的最大收穫；她生了四個孩子，使我們共有一個六口之家，這就是我的最大成就。

海音祖籍廣東，落籍為台灣人，卻是生於日本大阪，長於北平。攻讀新聞學，喜愛文藝，就業於報社、圖書館，因此整天和書籍文字結不解緣。小說看多了，不免見獵心喜，自己也下筆寫寫。文章在報章雜誌上發表得漸漸多了，少不得有些讀者，於是偶然也有些文債要還債。而且以文債抵補了兒女債、生活債，和我共同支持起這個家庭，亦爲事實所必需。

這些年來她所寫的文章，除了在大陸上的作品於來台時全部遺失外，在台幾年間，總也積有數十萬字。在操持家務，養育子女，以及編報看稿之餘，這一筆「副產品」也就不算少了。如論寫作環境，不禁使我們十分懷念北平南長街那一所小三合，乃至永光寺街那三間南向小樓。尤其是當風雪之夜，我們聽著爐上嗡嗡的水壺聲，各據一桌，各書所感；偶然回頭看看床上睡熟的孩子的蘋果臉，不禁相視而笑，莫逆於心。此情此景，此際祇有於回憶中尋求了。

來台以後，定居台北，室小人稠，門外復有車馬之喧，而板壁紙門，又是接納諸般噪音的最好設置。白天既嘈雜又忙碌，實在無法構思。祇有耗到晚上孩子們入睡，街上的車輛行人漸稀時才好執筆。我有時午夜夢迴，透過縱橫交織的蚊帳，看見她還伏在窗前小桌上，一燈熒然下，猶自振筆疾書。夏天是腳下一盤蚊香，冬天是腿上一條氈子。明知熬夜不是健康的生活習慣，然而既沒有其他時間可資刊用，也祇有聽其自然。奇怪的是，近年作品反而多於從前，不知是爲環境所迫呢？還是熟漸生巧？

在這種環境下擠出來的文章，日久數量亦自可觀。但是鑑於集資、編校、發行等事的麻煩，不願爲自己忙上加忙，所以從來沒有做過出版的打算。此次承重光出版社樂爲刊行，對於她的寫作是一種很好的鼓勵。

這三十多篇文章，大體是描寫夫婦、親子、師生之愛，異常的婚姻問題，以及一般家庭生活情趣等。有人批評女人寫作範圍不出家庭，似較狹窄。實則中國既無專業作家，文人以寫作爲副業，每人的生活範圍也都寬不到哪裡去。尤其是「家常人」型的家庭與職業兼顧的女作家，內外奔忙，自更難四處去尋覓靈感，擴大寫作領域。然而她們的堅苦奮鬥的精神，是值得讚揚的。她們就是寫寫所謂「身邊瑣事」，亦不足爲病，因爲這正是此偉大時代的基層生活的眞實反映，讀之令人有親切之感。如果拋棄了其所熟習而理解的事物，硬去巴結更大的目標，露出勉強的痕跡，就與文學眞的要求，自然的讚頌不相符合了。

我不以爲家庭是不關重要的，家常理短是不值得論列的，今日民主國家努力於國民生活的改善，並不是多餘的事。家庭是組成社會的細胞，至少要多數這類細胞健全，社會才能穩定，國家才能進步。古人排列事之本末爲：正心、誠意、修身、齊家、治國、平天下。這個秩序今日並不須重新排訂，仍是「家齊而后國治」。近年民主國人民在選擇政治領袖時，對於他有沒有一個美滿的家庭，也列爲重要條件之一，可知家庭並不是事業發展的絆腳石。那麼，男人讓開，請今日家庭中的「權威人物」們執筆舒紙，來描繪其生活，討論其問題，豈不是順理成章之事？

書中文字都是鼓舞成家立業之言，尙無超出常情的主張。雖是世俗面平凡，卻不致爲害世道人心。斯邁爾斯曾說，世上不知有多少人的思想行動，隱隱受讀物的控制。良好的作品能增進人類純潔心志與精神健康。反之，有些作者以架空虛構的故事吸引讀者的好奇心，他們描述男女私情，經常以苟合始，以殺戮終，不知不覺使人將種種不道德的思想植諸腦中，實爲有百害而無一利。他又引述路克巴爾評司各德的小說，是「三十年來最有益於人類的出版物，能使讀者吸收高尙純潔的思想，鼓舞強旺活潑的精神，增長仁慈博愛的感情」，和曼基斯達評狄更司的作品，「裡面沒有一章一字一句，含有不潔的意味，它使人明瞭忠義的可貴，勤勉的可尊，又不時灌注宗教的同情，使人擴充其愛心。……他的感化力量，已使無數的人造就了高尙純潔的生涯，我們全英國的人，都應該向他致敬感謝。」（見《勵志文粹》）

我人雖不能媲美司、狄二氏，但是也不願利用印刷廠的光榮的發明，來傳布無益於讀者的文字。

本書有些小故事固係取材自舍下，但是並不完全是本戶的生活報告，而是把一件小事加以渲染、誇大、添枝增葉，而使其故事化，所以文中的「我」不全是她，文中的「他」也不全是我。尤其是關於開丈夫玩笑的部分，讀者不可輕信！孟子說：「盡信書不如無書」，此地用之最宜，這是我應當把握寫序的機會加以說明的。

歷來爲人作序，慣例是好話連篇，即不致誤。但是如果作者是自己的妻子，問題卻複雜些。捧場過分，懼內嫌疑重大；如果擺出「戶長」面孔，亦殊失「相敬如賓」之道。我不知道有什麼前例可援，故此不知如何下筆才好。爰就海音的寫作經過，作一簡略報告。同時也是對這位我的寫作、編輯與共同生活十七年來的好伴侶，聊表敬意。

四十四年十月十八日

第一輯

書桌

窺探我家的「後窗」，是用不著望遠鏡的。過路的人只要稍微把頭一歪，後窗裡的一切，便可以一覽無遺。而最先看到的，便是臨窗這張觸目驚心的書桌！

提起這張書桌，很使我不舒服，因爲在我行使主婦職權的範圍內，它竟屬例外！許久以來，他每天早上挾起黑皮包要上班前，就不會忘記對我下這麼一道令：

「我的書桌可不許動！」

這句話說久了眞像一句格言，我們隨時隨地都要以這句「格言」爲警惕。

對正在擦桌抹椅的阿彩，我說：「先生的書桌可不許動！」

對正在尋筆找墨的孩子們，我說：「爸爸的書桌可不許動！」

就連剛會單字發音的老四都知道，爬上了書桌前的藤椅，立刻拍拍自己的小屁股，嘴裡發出很乾脆的一個字：「打」跟著便趕快自動地爬下來。

但是看一看他的書桌在繼續保持「不許動」之下，變成了怎樣的情形！

書桌上的一切，本是代表他的生活的全部：包括物質的與精神的。他仰仗它，得以養家活口；他仰仗它，達到寫讀之樂。但我眞不知道當他要寫或讀的時候，是要怎樣刨開桌面上的一片荒蕪，好給自己展開一塊耕耘之地？忘記蓋蓋的墨水瓶、和老鼠共食的花生米、剔斷的牙籤、眼藥瓶、眼鏡盒、手電筒、迴紋針、廢筆頭，……散漫地布滿在灰塵朦朧的「玻璃墊上」！另外再有便是東一堆書，西一疊報，無數張的剪報夾在無數冊的書本裡。字典裡是紙片，地圖裡也是紙片。這一切都極待整理，但是他說：「不許動！」

不許動，使我想起來一個笑話：一個被汽車撞傷的行人呻吟路中，大家主張趕快送醫院救治，但是他的家屬卻說：「不許動！我們要保持現場等著警察來。」不錯，我們每天便是以「保持現場等著警察來」的心情看著這張書桌，任其髒亂！

窗明几淨表示這家有一個勤快的主婦，何況我尙有「好妻子」的銜稱，想到這兒，我簡直有點兒冒火兒，他使我的美譽蒙受污辱，我決定要徹底地清理一下這書桌，我不能再等著警察了。

要想把這張混亂的書桌清理出來，並不簡單，我一面勘察現場，一面運用我的智慧。怎樣使它達到清潔、整齊、美觀、實用的地步呢？因爲除了清潔以外，勢必還得把桌面上的東西分門別類的整理一下，使其各就各位，然後才能有隨手取用的便利，這一點是要著重的。

我首先把牙籤盒送到餐桌上，眼藥瓶送回醫藥箱，眼鏡盒應當擺進抽屜裡，手電筒是壓在枕頭底下的，這是第一步。第二步就輪到那些書報了，應當怎麼樣使它們各就其位呢？我又想起一個故事；據說好萊塢有一位附庸風雅的明星，她買了許多名貴的書籍，排列在書架上，竟是以書皮的顏色分類的，多事的記者便把這件事傳出去了。但是我想我還不至於淺薄如此，就憑我在圖書館的那幾年編目的經驗，對於杜威的十進分類法倒還有兩手兒。可是就這張書桌上的文化，也值得我小題大作地把杜威抬出來麼？

待我思索了一會兒以後，決定把這書桌上的文化分成三大類，我先把書本分中西高矮排列起來，整齊多了。至於報紙，留下最近兩天的，剩下都跟醬油瓶子一塊兒賣出去了，叫賣新聞紙酒矸的老頭兒來的也正是時候。

這樣一來，書桌上立刻面目一新，玻璃墊經過一番抹擦，光可鑑人，這時連後窗都顯得亮些，玻璃墊下壓著的全家福也重見天日，照片上的男主人似對我微笑，感謝賢妻這一早上的辛勞。

他如時而歸。仍是老規矩，推車、取下黑皮包、脫鞋、進屋，奔向書桌。我以輕鬆愉快的心情等待著。

有一會兒了，屋裡沒有聲音。這對我並不稀奇，我了解做了丈夫的男人，一點殘餘的男性優越感尚在作祟，男人一旦結婚，立刻對妻子收斂起讚揚的口氣，一切都透著應該的神氣，但內心總還是……想到這兒，我的嘴角不覺微微一掀，笑了，我像原諒一個小孩子一樣的原諒他了。

但是這時一張鐵青的瘦臉孔，忽然來到我的面前：

「報呢？」

「報？啊，最近兩天的都在書桌左上方。舊的剛賣了，今天的價錢還不錯，一塊四一斤，還是台斤。」

「我是說——剪報呢？」口氣有點兒不對。

「剪報，喏，」我把紙夾遞給他，「這比你散夾在書報裡方便多了。」

「但是，我現在怎麼有時間在這一大疊裡找出我所要用的？」

「我可以先替你找呀！要關於哪類的？亞盟停開的消息？亞洲排球賽輸給人家的消息？還是關於西德獨立？或者越南的？」我正計畫著有時間把剪報全部貼起來分類保存，資料室的工作我也幹過。

但是他氣哼哼地把書一本本的抽出來，這本翻翻，那本翻翻，一面對我沉著臉說：「我不是說過我的書桌不許動嗎？我這個人做事最有條理，什麼東西放在什麼地方，都是有一定規矩的，現在，全亂了！」

世間有些事情很難說出它們的正或反；有人認爲臭豆腐的實際味道香美無比，有人卻說玉蘭花聞久了有廁所味兒！正像關於書桌怎樣才算整齊這件事，我和他便有臭豆腐和玉蘭花的兩種不同看法。

雖然如此，我並沒有停止收拾書桌的工作，事實將是最好的證明，我認爲。

但是在兩天後他卻給我提出新的證明來，這一天他狂笑地捧著一本書，送到我面前，「看看這一段，原來別人也跟我有同感，事實是最好的證明！哈哈哈！」他的笑聲快要衝破天花板。

在一篇題名〈人人願意自己是別人〉的文章裡，他拿紅筆勾出了其中的一段：

一個認真的女僕，決不甘心祇做別人吩咐於她的工作。她有一份過剩的精力，她想成為一個家務上的改革者。於是她跑到主人的書桌前，給它來一次徹底的革新，她按照自己的主意把紙片收拾乾淨。當這位倒楣的主人回家時，發現他親切的雜亂，已被改為荒謬的條理了……

有人以爲——這下子你完全失敗了，放棄對他的書桌徹底改革的那種決心吧！

但人們的這種揣測並不可靠，要知道，我們的結合絕非偶然，是經過了三年的彼此認識，才決定「交換飾物」的！我終於在箱底找出了「事實的更好的證明」——在一束陳舊的信札中，我打開最後的一封，這是一個男人在結束他的單身生活前夕，給他的「女朋友」的最後一封信，我也把其中的一段用紅筆重重地勾出來：

從明天起，你就是這個家的主宰，你有權改革這家中的一切，而使它產生一番新氣象。我一向紊亂的書桌，也將由你勤勉的雙手整理得井井有條，使我讀於斯，寫於斯，時時都會因有你這樣一位妻子，而感覺到幸福與驕傲……

我把它壓在全家福的旁邊。

結果呢？——性急的讀者總喜歡打聽結果，他們急於想知道現在書桌的情況，是「親切的雜亂」呢？還是「荒謬的條理」？關於這張書桌，我不打算再加以說明了，但我不妨說的是，當他看到自己早年的愛情的諾言後，用罕有的、溫和的口氣在我耳旁悄聲地說：「算你贏，還不行嗎？」

四十四年五月

鴨的喜劇

「好，被我發現了！」

尖而細的聲音從廚房窗外的地方發出來，說話的是我們那長睫毛的老三。俗話說得好：「大的傻，二的乖，三的歪」，她總比別人的名堂多。

這一聲尖叫有了反應，睡懶覺的老大，吃點心的老二，連那搖搖學步的老四，都奔向廚房去了。正在洗臉的我，也不由得向窗外伸一頭，祇見四個腦袋扎作一堆，正圍在那兒看什麼東西。啊，糟了！我想起來了，那是放畚箕的地方，昨天晚上……

「看！」仍然是歪姑娘的聲音，「這是什麼？橘子皮？花生皮？還有……」

「陳皮梅的核兒！」老大說。

「包酥糖的紙！」老二說。

然後四張小臉抬起來衝著我，長睫毛的那個，把眼睛使勁擠一下，頭一斜，帶著質問的口氣：「講出道理來呀！」

我望著正在刮鬍子的他，做無可奈何的苦笑。我的道理還沒有編出來呢，又來了一嗓子乾脆的：

「賠！」

沒話說，最後我們總算講妥了，以一場電影來賠償我們昨晚「偷吃東西」的過失。因爲「偷吃東西」是我們在孩子面前所犯的最嚴重的「欺騙罪」。

我們喜歡在孩子睡覺以後吃一點東西，沒有人搶，沒有分配不均的糾紛。在靜靜的夜裡，我們一面看著書報，一面剝著士林的黃土炒花生，窸窸窣窣，好像夜半的老鼠在字紙簍裡翻動花生殼的聲音。

我們隨手把皮殼塞進小几上的玻璃菸缸裡，留待明天再倒掉。可是明天問題就來了，群兒早起，早在僕婦還沒打掃之前，就發現塞滿了的菸缸。

「哪兒來的花生皮？」我被質問了，匆忙之間拿了一句瞎話來搪塞，「王伯伯來了，帶了他家大寶，當然要買點兒東西——給他吃呀！」我一說瞎話就要噍吐沫。

但是王伯伯不會天天帶大寶來的，我們的瞎話揭穿了，於是被孩子們防備起「偷吃東西」來了。他們每天早晨調查菸缸、字紙簍。我們不得不在「偷吃」之後，做一番「滅跡」工作。

「我一定要等，」有一次我們預備去看晚場電影，在穿鞋的時候，聽見老二對老三說，「他們一定會帶東西回來偷偷吃的。」

「我也一定不睡！」老三也下了決心。

這一晚我們沒忘記兩個發誓等待的孩子，特意多買了幾塊泡泡糖。可是進門沒聽見歡呼聲，天可憐見，一對難姊難妹合坐在一張沙發上竟睡著了！兩個小身體裹在一件我的大衣裡，冷得縮做一團。牆上掛的小黑板上寫了幾個粉筆字：「我們一定要等媽媽買回吃的東西」，旁邊還很講究的寫上注音符號呢！

把她們抱上床，我試著輕輕的喊：「喂，醒醒，糖買回來啦！」四隻眼睛努力的睜開來，可是一下子又閉上了，她們實在太睏了。

小孩子真是這麼好欺騙嗎？起碼我們的孩子不是的，第二天早上，當她們在枕頭邊發現了留給她們的糖，高興得直喊奇怪，她們忘記是怎麼沒等著媽媽，而回到床上睡的事了。

但是這並沒有減輕我們的滅跡工作，當菸缸、字紙簍都失效的時候，我居然怪聰明的想到廚房外的畚箕。誰想還是「人贓俱獲」了呢！

講條件也不容易，他們喊價很高：一場電影、一個橘子、一塊泡泡糖、電影看完還得去吃四喜湯糰。一直壓到最後衹剩一場電影，是很費了一些口舌的。

逢到這時，母親就會罵我：「慣得不像樣兒！」她總嫌我不會管孩子，我承認這一點。但是母親說這種話的時候，完全忘了她自己曾經有幾個淘氣的女兒了！

我實在不會管孩子，我尊嚴的面孔常常被我不夠尊嚴的心情所擊破。這種情形，似乎我家老二最能給我道破。

火氣冒上來收斂不住，被我一頓痛罵後的小臉蛋都傻了。發洩最痛快，在屋小、人多、事雜的我們的生活環境下，孩子們有時有些不太緊要的過錯，也不由得讓人冒火兒，其實衹是想藉此發洩一下罷了。怒氣消了，怒容還掛在臉上，我們對繃著臉。但是孩子挨了罵的樣子，實在令人發噱，我努力抑制住幾乎快要發出的狂笑，把頭轉過去不看他們；或者用一張報遮住了臉，立刻把噘著的嘴唇鬆開。這時我可以聽見老二的聲音，她輕輕地對老三說：「媽媽想笑了！」

果然我眞忍不住的笑了起來，孩子們恐怕也早就想笑了吧，我們笑成一堆，好像在看滑稽電影。

老大雖然是個粗心大意的男孩子，卻也知母甚深，三年前還在小學讀書時，便在一篇題名〈我的家庭〉的作文裡，把我分析了一下：

「我的母親出生在日本大阪，六歲去北平，國語講得很好。她很能吃苦耐勞，有一次我參加講演要穿新制服，她費了一晚上的工夫就給我縫好了。不過她的脾氣很暴躁，大概是生活壓迫的緣故。」

看到末一句我又忍不住笑了，我立刻想到套一句成語，「生我者父母，知我者兒女」。

我曾經把我的孩子稱爲「三隻醜小鴨」，但這稱號在維持了八年之後的去年是不適宜了，因爲我們又有了第四隻。我用食指輕划著她的小紅臉，心中是一片快樂，看著這個從我身體裡分化出來的小肉體，給了我許多對人生神祕和奧妙的感覺。所以我整天摟著我的嬰兒，不斷地親吻和喃喃自語，我的北平朋友用艷羨的口吻罵我：「瞧，疼孩子疼得多寒蠢！」人生有許多快樂的事情，再沒有比做一個新生嬰兒的母親更快樂。

人們會問到我四隻鴨子的性別，幾個男的？幾個女的？說到這，我又不免要多嚕嗦幾句：

當一些自命爲會掐算看相的朋友看到我時，從前身、背影、側面，都斷定我將要再做一個男孩的母親。我也有這種感覺，因爲我已經有的是一個男孩和兩個女孩，按理想，應當再給我一個男孩。不看見戲台上的龍套嗎？總是一邊兒站兩個才相襯。但是我們的第四個龍套竟走錯了，她站到已經有了兩個的那邊去了，給我們形成了三個女孩和一個男孩的比例，我不免有點懊喪。

因此外面有了謠言，人們在說我重男輕女了，這眞冤枉，老四一直就是我的心肝寶貝！

我的丈夫便拿龍套的比喻向人們解釋，他說：「你們幾時見過戲台上的龍套是一邊兒站三個，一邊兒站一個的呀？」

但是這種場面我倒是見過一次，那年票友唱戲大家起鬨，眞把龍套故意擺成三比一，專爲博觀眾一樂，這是喜劇。

我是快樂的女人，我們的家一向就是充滿了喜劇的氣氛，隨時都有令人發笑的可能，那麼天賜我三與一之比，是有道理的了！

四十四年五月

教子無方

母親罵我不會管教孩子，她說我：「該管不管！」我也覺得我的兒童教育有點兒特別。

剛下過雨，孩子們向我請求：

「讓我們光腳出去玩，好不好？」

我滿口答應，孩子們高興極了，脫下板板，捲起褲腿兒，三個一陣呼嘯而去。母親怪我放縱，她說滿街雨水，不應當讓孩子們光腳去淌水，我回答母親說：「淌水是頂好玩兒的事，我小的時候不是最愛淌水嗎？」母親祇好罵我一句：「該管不管！」

我們的小家庭裡，爲孩子的設備簡直沒有，他們勉強算是有一間三疊的臥室，還要勻出我放小書桌和縫衣機的地盤來。還有三個抽屜歸他們每人一個，有時三個孩子拉出抽屜來擺弄一陣子，裡面也無非是些碎紙爛片破盒子。他們祇有一盒積木算是比較貴重的玩具，它的來歷是：

兒童節的頭一天，大的從高級班同學那裡借來全套童子軍武裝，我家務忙，沒顧得問他所以，第二天一早兒，他穿上「童子軍」就沒了影兒。到了晌午，只見他笑嘻嘻滿載而歸，發了邪財似的，擺了一桌子文房四寶——筆墨紙硯什麼的，還大大方方地賞了妹妹們一盒積木。問他到哪兒去了，他這才躊躇滿志，挺著胸脯說：

「今天兒童節，我代表學校到教育廳『接見』廳長去了。這些全是他賞的。」

我們一聽，非同小可，午飯多給了他一塊排骨啃。整個晚上大家都拿「接見廳長」當題目談笑。

就是這樣，我們既沒有遊戲室，又沒有時間帶他們到海濱去度週末，淌淌街上的雨水，就好比我們家門前是一片海灘，豈不很好？而且他們淌著水最快樂，好像我的童年一樣——說實話，到今天我都不愛打傘、穿雨衣，讓雨淋滿身、滿頭、滿臉，冰涼涼最舒服。

我記得童年時候，喜歡做許多事情都是爸媽所不喜歡的，因爲他們不喜歡，我便更喜歡，所以常常要背著他們做。我和二妹談起童年的淘氣，至今猶覺開心。我們最喜歡聽到爸媽不在家的消息，因爲那時候我們便可以任意而爲，比如扯下床單把瘦雞子似的五妹包在裡面，我和二妹兩頭兒拉著，來回的搖，瘦雞子笑，我們也笑，連管不了我們的奶媽都笑起來了（可見她也喜歡淘氣）。笑得沒了力氣，手一鬆，床單裏著人一齊摔到地下，瘦雞子哇的哭了，我們笑得更厲害，雖然知道爸爸回來免不了要吃一頓手心板。

雨天無聊，孩子們最喜歡爬到壁櫥裡去玩，我起初是絕對不許的，如果他們趁我買菜時候爬到裡面去，回來一定會挨我一頓臭罵。有一次我們要出門，老二問爸爸：

「媽媽也出去嗎？」

爸爸說：「是的。」

老二把兩條長辮子向後一甩，拍著小手兒笑嘻嘻地向老三說：

「媽媽也出去，我們好開心！」

我正在房裡換衣服，聽了似有所悟，他們像我一樣嗎？喜歡背著爸媽做些更淘氣的勾當？我的爸媽那樣管束我，並沒有多大效力，我又何必施諸兒女？這以後，我便把尺度放寬，甚至有時幫助他們把枕頭堆起來，造成一座結結實實的堡壘抵禦敵人，枕頭上常常留有他們的小泥腳印，母親沒辦法兒，便衹好又罵我：「該管不管！」我心想，他們的淘氣還不及我的童年一半呢！

成年人總是繃著臉兒管教孩子，好像我們從未有過童年，不知童年樂趣為何物何事。有一天我正伏案記童年，院裡一陣騷動，加上母親唉唉歎聲，我知道孩子們又惹了禍，母親喊：「你來管管。」我疾步趨前，喝！三隻醜小鴨一字兒排開，站在那裡等候我發落。祇見三張小臉兒三個顏色：我的小女兒一向就是「嬌女兒淚多」，兩行淚珠掛在她那「靈魂的窗戶」上，閃閃發光；大女兒的臉上塗著「迷死弗多」口紅，紅得像台灣番鴨的臉；那老大，小字雖然沒寫完，鼻下卻添了兩撇仁丹鬍子。一身的泥，一地的水。不管他們惹了什麼樣的禍，照著做母親的習慣，總該上前各賞一記耳光，我本想發發脾氣，但是看著他們三張等候發落的小花臉兒，想著我的童年，不禁啞然失笑。孩子們善觀氣色，便也噗哧哧都笑起來，我們娘兒四個笑成一團。母親又罵我：「該管不管！」我也只好自歎「教子無方」了。

四十年六月二十日

小林的傘

今天早晨細雨濛濛，他待要出門，打開這柄被稱為「小林」的傘，發現傘骨離開傘軸，再也不能「支持」了。他繃著一張鐵青的臉望著我。

「又是孩子們玩壞了我的傘？」我因為最怕看他那副嘴臉，所以儘管低頭伏在書桌上，用筆在空白稿紙上亂塗著，隨口漫應：「不知道。」「不知道？」我知道他對於我的答覆已怒不可遏，竟氣哼哼地出門而去。

講到小林的傘。就得從我們的戀愛講起。在我們的戀愛史上，傘是我們愛情的插曲。

最初，他有一把相當考究的黑綢傘，是他的哥哥從法國留學歸來，贈給他的「剩餘物資」之一，其他包括一個網球拍、一個熨衣板、一件浴衣，和幾張巴黎裸女畫片。他常常帶著這把傘來找我，我的淘氣妹妹們也常常驚奇又玩笑地說：「帶傘幹麼？」他便會指著天上一片小小的烏雲，正正經經地說道：「恐怕會下雨！」但是去過北平的人都知道，雨傘和雨衣並不太需要，因爲在大雨傾盆的時候，根本就要停止行動，而北平又難得下一次毛毛雨的。他那種傘，在我的印象裡，祇有「多霧倫敦」的英國人才常常舉著的。常常是這樣，臨到我們要出門，偏偏天不作美，一塊烏雲遮住陽光，他便要戴上近視眼鏡到院子裡，向天空的西北角上望之不已，然後回到屋裡來，慎重其事地從屋角取出這把黑綢傘，和我的手提包放在一起，免得忘記一同帶去。唉！我們時常看完一場電影，出來一看，竟是陽光普照！我們三個：他、傘及我，便手挽手又手挽傘，蹩蹩扭扭地走成一字排，在陽光之下散步於王府井。最糟糕的是在電影院裡，它擠在我們倆座位中間，動輒得咎，碰過來碰過去都是那把又彎又長的大傘柄在作祟！

有一次，又碰到陰霾滿布的天氣，他當然又堅持要帶著傘出去。我說敢打賭不會遇到雨的，他說：「未雨綢繆，帶著總比不帶強，萬一下雨呢！免得淋成落湯雞！」我實在不能忍受了，說：「萬一下雨，我也寧可淋成落湯雞！」他尚在猶豫，我最後補充了一句：「有傘無我！」他才悻悻然把那傘兒收去！

在許多公共場合的衣帽間裡，也常常有它的蹤跡，眞是「人皆取衣我取傘！」但不幸的是在某次友人的結婚典禮時，這把法國名傘竟不幸被茶房給錯了客人，換來一柄破舊的黑布傘。那天趕巧眞的有點兒雨，我們倆躲在這隻破傘下，他默然不語。他心裡一定在盤算著：登個尋失廣告吧，未免被人貽笑小題大作；和茶房發脾氣吧，實在也無濟於事，丟了又眞可惜，這把破傘不久便流落到下房去，派給老媽子買菜上茅房用了。

勝利以後，日僑遣歸，遺下許多東西，我們成天價逛小市兒，撿便宜貨。想一想，我們打勝了仗還買人家的剩東西，也說不清心裡是什麼滋味兒！這把「小林」的傘便是在東單小市上買來的。他希望再得到一把新的那種「英國紳士」味兒的傘的心，不知有多久了，所以當他在那個低頭齋發現了這把九成新的傘以後，那種愛不忍釋的樣子，立刻就使賣主拿出「一買三不賣」的架勢來。他把玩良久，最後在傘柄上發現兩個字：「小林」——我的學生時代的外號，所以他更高興了：「看，你的傘！」小林的傘便在「貨高價出頭」之下，屬於我們了。

我還記得當晚我們臆測「小林」這個日本人，我們猜，小林也許是個學者吧？矮矮的個子，穿著黑西服，皮帶繫在肚臍眼兒以下的那種日本人。或許是個軍閥？不，決不會，一個日本軍閥不會有持傘的習慣的。不管他是幹什麼的吧，怎麼回國連傘都不帶走呢？他很惋惜的爲小林，當然也很僥倖的爲自己。

小林雖然沒有把傘帶回日本去，他卻把「小林」的傘漂洋過海，經海陸空三路帶來台灣了。我是先一步到台灣的，一個月後他才來。十五公斤的行李還在基隆，他卻舉著小林的傘到台北來。一進門，孩子們喊經月不見的爸爸，又驚奇地喊道：

「媽媽！爸爸祇帶一把傘來！」

他這時也有些難爲情，指指傘說：

「帶它好不容易啊！箱子裡裝不下，鋪蓋捲兒裡捲不下，所以我從北平一路拿到台灣來，喝喝！」

當然，在飛機上他可能用腿緊緊地夾著它，在船艙裡他也可能和它睡在一起呀！

台灣多雨，他和傘總算有了出路，出門帶得更勤了。不過兩年的功夫，小林的傘已經五癆七傷，修修補補不知多少次了，這次實在無可救藥！記得小林的傘剛買來的時候，我曾爲文小記，如今壽終正寢更不免要禱祭一番。慶幸的是傘雖破不足惜，我們的愛情卻老而彌堅呢！

四十年四月

平凡之家

感謝朋友們的關懷，她們的來信總是關心到我的生活：「眞難爲你拖兒帶女的」，「不用人還拖著三個孩子」……大概我在不曾見面，或者久不見面的朋友想像裡，該是一個一天到晚愁眉苦臉，加上一肚子牢騷的女人，拖著三隻醜小鴨，站在灶邊，一頓又一頓，做著燒飯的奴隸，豈不是一個「準平凡」的女人嗎？

我的確是一個樂於平凡的女人，朋友們都奇怪我在這兩間小木房裡，如何能達到康樂？我卻以爲古人能夠「一簞食，一瓢飲，居陋巷」而不改其樂，我怎麼就不能在這十疊半蓆的天地裡自得其樂呢？西諺有云：「聽不見孩子哭聲的，不算是完整的家。」那麼我對於兒女繞膝的福分，還不應當滿足嗎？在我們的小家庭裡我的女高音從來是壓不住孩子們的三部合唱。有時候我要跟他談幾句話，竟會被正在高談闊論的小女兒喝道：「媽媽不要插嘴！」我們的生活裡孩子是主要的成分呢！

我讀過許多描寫得有如瓊樓玉宇的「吾廬」文章，看看別人所描繪的家，對於並不屬於我的十疊半的「吾廬」就更不敢獻醜了，但是正如梁實秋先生對他在四川居住的「雅舍」所說：「我不論住在哪裡，祇要住得稍久，對那房子便發生感情，非不得已，我還是捨不得搬……縱然不能蔽風雨，『雅舍』還是自有它的個性，有個性就可愛。」我最初搬到這十疊半來的時候，心情之沉重，難以形容，看著堆在壁櫥裡的十五公斤行李，想起北平扔下的一大片，眞要令人悶絕，怕他罵我想不開，夜裡鑽在被窩裡，不知淌了多少眼淚！但是兩年住下來，就犯了北平人的懶脾氣。最近聽說他的機關有意把我們全家配到一棟多出兩疊的房子去，自幽谷遷於喬木，可喜可賀，但是我和他反而留戀起兩年廝守的這兩間木屋來了，母親還以爲我是捨不得曾投資於修理廚房的兩包水泥呢！

今日陽光照在書桌上，覺得格外溫暖，我忽然想起這兩年來，在這十疊半的天地裡，實在是健康多過病弱，快樂多過憂愁，辛勤多過懶散，接待過許多徘徊台北的朋友們，有過多少次的夜談之樂，這一切怎不使人對這木屋的情趣留戀呢？

我們的生活情趣重於快樂的追求，有人說我們該是沒有理由快樂的家庭，丈夫是一個自甘淡泊的人，因之我們的生活也就來得緊張些，但是我們在緊張中卻不肯犧牲「忙裡偷閒」的享受，張潮〈論閒與友〉裡說：「人莫樂於閒，非無所事事之非之謂也。閒則能讀書，閒則能遊名勝，閒則能交益友，閒則能飲酒，閒則能著書。天下之樂，孰大於是？」然則快樂的心情，卻要自己去體味。有人看我們在孩子們熟睡後，竟敢反鎖街門跑去看一場電影，替我們捏一把汗，說是台灣的小偷鬧得很凶，可是我們仍不願放棄兒輩上床後的這一段悠閒的時間，夜讀、夜寫、夜談、夜遊，都是樂趣無窮的。有時候夜讀疲倦，披衣而起，讓孩子們在夢中守家，我們倆到附近的夜市去吃一碗擔仔麵，回來後如果高興的話，也許攤開稿紙，把瞬間所引起的情感，記在上面。

把一切歸罪於「貧窮」，是現代生活裡人們常有的心情，我卻以爲應當體味《祖母的精神生活》一書中所說的祖母的人生觀：

> 孤獨不算孤獨，貧窮不算貧窮，軟弱不算軟弱，如果你日夜用快樂去歡迎它們，生命便能放射出像花卉和香草一樣的芬芳——使它更豐富，更燦爛，更不朽了——這便是你的成功。

捉住光陰的實際，快樂而努力的過下去，不做無病呻吟，一個平凡女人的平凡生活，如此而已。

四十年三月

三隻醜小鴨

孩子們學校放了假，吵吵鬧鬧地回到我的身邊。

半個月來，台北的雨像淚人兒似的，緊一陣慢一陣哭個不停，三隻醜小鴨出不去，就在這間客廳、書房兼飯廳的六疊上設下了天羅地網，一會兒做球場，一會兒做戰場。外面是霪雨連綿，屋裡是殺喊震天。而我呢，跟著這三隻醜小鴨團團轉，不知嘔了多少氣！

上午打發老小上班上學校，我在入廚前，原有一段比較清靜的時間可以消磨：聽聽無線電，喝喝新泡的香片，看看剛送來的日報，這對於時時在緊張生活中的我，說得上是享受吧！可是這段時間也隨著假期取消了，如今從臨街的窗戶送進「豆腐一聲天下白」起，解放了我們的早覺，醜小鴨們也就一個個從夢中醒轉來，先是吱吱喳喳，像是怕驚醒了我們，最後終於全武行的滾作一團，我這時也不能再充耳不聞，這一起身，五官四肢便如開了電鈕一般，忙個不歇，直到日落西山，把他們打發上了床，才算喘過一口氣。

偶然寫這幾篇小孩子好玩的小文，人家都以爲我有個理想的快樂家庭。從未見面的文友們也曾來信，當她們看見我的孩子們在紙上躍然欲出時，想像到我是個滿面福相，兒女繞膝的女人，天曉得，欣賞過我家一團糟的朋友，都曾歎觀止矣！有些場面堪稱偉大驚險；比如，他們把所有可以挪動的家具——竹凳、摺椅、沙發全部排列起來，節節加高，從房門口排到壁櫥，然後一個個走上去，進了壁櫥，裏著氈子盤腿兒坐在壁櫥裡的被褥垛上，說這便是所羅門王；有時他們把老二五花大綁，背後插把小扇子，讓她跪著，表演槍斃女匪幹。天哪！我們家離馬場町太近了，如果我是今之孟母，也許該搬搬家了；有時我聞見飯焦的味道，要趕快到廚下去，卻得經過這座橋頭堡，如果碰上他們戒嚴，還要喝問口令，教我拿什麼去答應呢？最糟的是趕上不速之客的光臨，要挪出沙發給客人坐，孩子們卻比著槍，喊：「不許動！」客人連說：「沒關係。」我更是手忙腳亂，不知所措了！

他和我都感覺到被孩子吵得太凶了，時時希望有人把他們帶出去一天，讓我們踏踏實實地吃頓飯，讓我們安安穩穩地寫上幾千字。果然有一天他們受外婆的邀請，坐〇路巴士繞四城看朋友去了。我們夫妻倆愜意得很，以爲這一天除了吃喝玩樂不受兒女的牽制以外，還可以來上幾千字的好生意。不過吃飯的時候，他竟糊裡糊塗的又照例盛了五碗飯，多了三碗沒人動。吃著飯總像是有什麼事忘記辦，又像是孩子們就要進來，結果兩個人無話可說的吃了一頓飯，像魚喝水一樣，沒有聲音。

飯後文思不來，伏在桌上硬寫不出字，心裡卻惦記著孩子們現在何處？外婆會不耐煩了吧？坐巴士不會把頭探到車窗外吧？老三穿少了不會冷嗎？終於他也憋出了一句：「怎麼還不回來？」我不由得拖上木屐，走出巷口外，徘徊、張望，一直到聽見喊「媽」的嬌呼聲，心裡才有了著落！這一天結果一字未成！

到晚來，三隻醜小鴨又在作怪，哭聲，笑聲，叫聲，亂成一片，電燈也好像比剛才亮些、熱些！他剔著牙，望著孩子們傻笑。衹有半天的工夫，卻好像是許久沒有見面一樣。這種時間的感覺，正像老二那句「過去式」的口頭語「好幾天」一樣，哪怕是一小時以前的事，都是好幾天了！

不能免俗的農曆年又到了，不免磨米蒸糕點綴一番，偏偏又接到編輯先生來信，除了報告《婦週》復刊的消息外，還索稿一篇限兩天交卷。此刻雖一筆在手，但橋頭堡尚未拆掉，菜頭糕也未蒸熟，「熊掌與魚」教我如何能兼而得之呢！

四十年二月

今天是星期天！

「今天是星期天，孩子們！」在似醒還睡中，我聽見他以致訓詞的調門這麼說，「讓你們辛苦的媽媽，睡個早覺！」跟著是孩子們的一陣哄堂好，他連忙「噓！噓！」的給鎮壓下去了。

誰要說「當今之世，知道體貼妻子的丈夫有幾個？」的話，我首先要叫出反對的口號來，這種體貼的幸福，我深深地嘗到了。——讓你們辛苦的媽媽睡個早覺，我微笑地，陶醉地，含著這顆「體貼的幸福的果實」在溫暖的被窩裡翻個身。我忽然記起，有人曾把「好妻子」的美銜送給我，如果我眞有這項榮譽——榮譽應該屬於他。想著想著，當我再聽見他說什麼「孩子們跟我到廚房來……」的時候，我已漸入幸福的夢鄉中了。但是這個幸福（或體貼）的回籠覺，似乎沒有達到理想的時間，我便被自己的一陣咳嗽給嗆醒了，我聞見了什麼味兒，也聽見了一陣小小的喧嘩，是他在說話：「美美，乖，快，再去拿點兒報紙來，可別拿今天的，今天是星期天，知道吧？」

好了，我該起來了，原來一股煤煙鑽進了蚊帳。我首先要明瞭的是他們爺兒幾個的情形。在廚房果然有一番新景象被我看到：洗臉毛巾圍在飯鍋上，字紙簍歪在火爐旁，麥片、牛奶罐頭、鴨蛋、香蕉，堆在洗臉盆裡！外子正給小兒等開講火的哲學呢！他說：「人要忠心，火要空心，懂不懂？……但是，」他一回頭看見了我，「咦？怎麼不睡啦？去睡你的，這兒有我！」我幸福地一笑，剛想說「也該起啦！」話未出口，他又接下了：「要不然，你先來給生上這爐火再說，大概爐子有毛病，不然不會生不著的。」

我的孩子們用一種「歎觀止矣」的神情，看我把一小團十六開報紙和數根竹皮把那爐火生著了以後，美美開口了：「爸，火著了，做你的麥片牛奶鴨蛋香蕉餅吧！」

「麥片牛奶鴨蛋香蕉餅？是《媛珊食譜》上的？」在那本食譜上，我彷彿沒見到有這麼一道複雜的點心呀！

「不，是爸爸發明的！」

那就難怪了，她爸爸發明的東西可多哪，這一早上就兩樣了，「空心火」跟「麥片牛奶鴨蛋香蕉餅」！

「好，其餘的你不用管了，你等著吃現成的，我們來！」

等著吃現成的，對，我由廚房走上了我們的統艙。我說統艙，人家會不懂，原來在這十幾蓆榻榻米上，晚上鋪上了被褥，就跟當年我們睡在中興輪的統艙裡一樣，故以名之。到了白天，鋪蓋捲兒一收，當然就是客艙了！現在我所以說「上了我們的統艙」的意思，是因爲被褥狼藉，我還沒收拾呢！

待我把客艙「表現」出來，那邊已經在叫吃早點了。

關於「麥片牛奶鴨蛋香蕉餅」，如果當時有人看見並嚐到的話，他們也許會說，那實在是一種缺乏了餅的形狀的餅，而且外面黑了有點苦，裡面稀了有點生。但它對於我，卻不是這種說法，當他躊躇滿志地歪著頭問：「怎麼樣？」時，我點點頭並且不由得頗爲含蓄地笑了一下，這含蓄的意義是很深切的，或者可以說，如果不是礙於孩子們在面前，我一定會情不自禁地吻著他那多髭的嘴巴，並且輕輕地告訴他說：「我不管人家說什麼你做的餅是外焦裡不熟，我吃出來的完全是一種幸福的味道！」當然，這種味道，祇有我一個人嚐得出來。

他在得意之餘又發話了：「記住，孩子們，以後每個星期天都是媽媽休息的日子，無論什麼事都不要媽媽動手，她已經辛苦了一個星期了！」最後，他做如下的決定：

「工作要求效果，看，現在才十點鐘，上午諸事已完畢，好，現在，你們可以找小朋友去玩，等到十一點半再回來，我們分工合作，來準備午飯……」

「但是，」我是要說，早點的碗筷還沒洗哪，院子還沒掃哪，菜還沒買哪……不過他不容我插嘴，「你放心好了！」

「不是……」

「一切放心，包在我身上！」他拍拍胸脯。

孩子們呼嘯而去，他打了兩個飽嗝，夾著一疊報，做「要舒服莫過倒著」的閱報式去了。

當我把碗筷洗淨，飯桌擦淨，廚房刷淨，院子掃淨，提著籃子去買菜時，他也看完了報。「咦，到哪兒去？」他不勝驚詫地問。

「買菜去呀！」我也不勝驚詫地回答，——難道他說過要請我們下館子的話了嗎？不然他不會不知道買菜是我每天運用智慧最多的一課呀！

「啊，這我倒沒想到，不過我們吃最簡單的好了，實在用不著像每天那樣四盤一碗的，比如做一個咖哩牛肉番茄土豆來拌飯吃就很好了，像剛才我做的麥片牛奶鴨蛋香蕉餅，不就是營養豐富，而作法簡單嗎？」

「也好！」我鑾同意。

「不過，」他又猶豫了一下，「好久沒吃鯉魚了是不是？多添個紅燒鯉魚好了。」

菜場歸來，小鬼們已經在他的領導下挽袖撩裙做準備狀了，我進門先告訴他：「今天的鯉魚都死去過久，我怕不新鮮，所以沒有買。」

他用一種「何不食肉糜」的口氣問我，「那你怎麼不買活的？」

「活的？」活的比死的貴一倍，我們的菜錢裡從來沒打過買活魚的預算呀！但我不好傷他的心，倉促間，便說了一句意義不夠明顯的話：「活的也不新鮮！」好在他沒聽出來。

「來，我們分工合作，以求工作的效果！」他強調早上那句話，同時轉向我，「你就是缺乏這種頭腦，所以工作效果較差！」

關於分工合作，工作求效果等事，我應當加以補充說明，外子是個標準公務員，吃了十幾年的這行飯，雖然兩袖清風，但是落得不少「效果」，去年曾因辦事效果甚佳而受褒獎，一個國家所褒獎的公務員，是沒錯的，所以我在被批評「缺乏頭腦」後，並沒有不愉快，雖然我煮飯也有十幾年歷史了。

他們又把我送上了客艙，一定不許我下廚房，還是要我吃現成的。我聽他分配得有條有理：

「你們三個人，你剝豆，你洗菜，你搧火，菜由我來切，因爲對於你們使用菜刀，我還是不放心。」

果然大家在靜靜地進行「效果」，一點聲息也沒有。這現象維持了約有二十分鐘，廚房裡忽然喊出了一聲「快來！」跟著是他舉著手從廚房出來了，左手的無名指被菜刀割了一道口子，鮮血滴滴，找棉花、找藥水、找紗布、大家忙成了一團，不過他很鎮靜，並囑咐大家「不要慌」。這時廚房裡又喊出了一聲：「快來！」原來那個最鎮靜的美美還在搧火呢！火上是鍋，鍋裡是油，油是開的！我奔上前去，從切菜板上抓起血淋淋的白菜，趕忙丟在油鍋裡，「碴」的一聲，把美美嚇跑了，卻把他招來了……

「白菜，血，洗！」纏著紗布的手直向我擺。

「啊，來不及了！」我望著躺在油鍋裡的白菜。

在飯桌上，我指著那碗白菜，對孩子們說：「吃吧，這裡面有你爸爸的心血！」他很得意，但嚴肅地說：「這種菜刀實在有改良的必要，爲害甚矣！」

這是不能怪他的，因爲他慣於使用刮鬍子的保險刀，拿菜刀還是頭一遭呢！

到此時爲止，星期天剛過了一半，我實在有繼續說下去的必要，因爲他在飯桌上又宣布下一個節目，「吃完飯我帶你們幾個出去玩，可以讓你們的媽媽清靜清靜。」然後轉向我，「你可以睡覺，寫文章，打毛衣，隨心所欲。」

不用說，吃完飯我又是一陣刷洗，他那種視若無睹的樣子，彷彿從來不知道人生在吃飯之後尙有洗碗一事。

在一陣翻箱倒櫃之後，有五個鈕子，三個破洞等著我來縫，這是義不容辭的，因爲全家祇有我一個人受過縫補的訓練，不過他說：「平常你如果隨手縫補，就不會有堆積之苦了！」這種批評是很對的，從工作的效果上來說。

「跟媽媽擺擺，說：『您舒舒服服的睡一覺吧！』」果然，牙牙學語的四丫頭擺手呀呀了一陣子。

送走了他們爺兒五個，我確有輕鬆之感，是的，我該睡個午覺了，找補早上所失去的幸福之夢。倒下去不久，送晚報的來了，該死，我在睡午覺，來了晚報，都市的生活，對於時間的觀念總是模糊的。看完星期小說我再度入夢，但敲門聲甚急，想裝死都不成，開開門來，一片「拜託」聲，原來是鄰長里長領著一干人等，送上「請賜一票」，鞠躬如也而去。

時間是不饒人的，當我陸續又爲掏糞的、送書的等等開了幾次門之後，跟著他們回來了。

「睡得好吧？」世界上最體貼的人，還是自己的丈夫，我很高興地回答說，

「睡了一大覺！不是你們叫門，我還睡呢！」

又經過一場脫換衣服之後，他做本日的第三次宣布：

「來呀孩子們！我們該做晚飯了！」

「不，」我一步搶到廚房門口，兩手支撐門柱攔阻著，「你們對我的一番好意，我心領了，晚飯由我一個人來做，請務必答應我這個要求！」

四十三年十二月

今天是星期天！

分期付款

「不買，錢也沒攢下；買了，也就買了！」

這是他近來常掛在嘴邊的一句話，這句話，顯然是從抽菸的朋友哪兒套來的。我們抽菸的朋友，不是常在開戒之後，用一種自慰的口吻說：「不抽，錢也沒攢下；抽了，也就抽了」麼？

當然，話雖屬同轍，但「買了」和「抽了」，其結果的表現畢竟不同，唯其如此，我們的家庭近來便在這句話的鼓勵下，展開了購物的狂熱。

事情的起源，該從他手腕上的那隻瑞士金錶說起。半年前的一天，他下班歸來，神情緊張地從皮夾裡掏出一大疊鈔票來。

「老張請的那個會，無意中標來了。」

「標來打算怎麼樣呢？」我問他。

「你看缺什麼就買吧！」

我不是見錢眼開的女人，對於物質的慾望，早就到達昇華的地步了。說我們什麼都缺，可以；什麼都不缺，又何嘗不可以！因此我漫不經心地說：「你瞧著辦吧，缺不缺對於我已經沒什麼分別了。」

於是在我的冷淡與他的熱心之下，這疊鈔票送進了亨德利，換來了這隻金錶。而「不買，錢也沒攢下；買了，也就買了」的新經濟論便也開始了。

在持此論的不久，我也把李太太的會標來了，沒讓錢進家門，直截了當地送到縫衣機店。縫衣機進了家門，我才說明來由，當然我的結論也是「不買，錢也沒攢下；買了，也就買了」。

這一措施他很贊成，立刻拿出三件該換領的襯衫給我試手，並且說：「記得北平有句俗話兒嗎？『先錢後買』，瞧，咱們可是『先買後錢』。」好像找了便宜似的，他在得意之餘，又想起一件事，「對了，我今天看布告，可以分期付款買收音機，分半年扣錢，怎麼樣？來一架聽聽可以嗎？」

有什麼不可以呢？我們的屋子正嫌太空蕩，早就該有收音機了，我不是說過嗎，我們什麼都不缺，其實什麼都缺。

生活緊張起來了，開收音機，對時間，一分一秒都不差，名錶畢竟不凡；學洋裁，踩縫機，縫補的活計越來越多。最主要的是他對於辦福利的同事非常滿意，

「你看，又在配車了，近來同仁福利辦得實在不錯。省產自行車也還騎得過，還是分期付款，八個月扣清，怎麼樣？我來輛新的，舊車也該讓給老大承受了。」

老大一聽，早跳起來了。「贊成！贊成！」

「可是，」我面有難色，「現在每個月要付兩個死會款，和扣收音機款，簡直有點兒周轉不靈了，如果再……」

「唉，其實，」他又把那套經濟論拿出來了，「不買，錢也沒攢下；買了，也就買了，你看！」他伸出帶著名錶的那隻手，指著桌上的收音機，牆角的縫衣機，證明他「老爺沒有錯」。

老大更在一旁叫囂：「無異議通過，無異議通過！」

終於有一天新車進了家門，車鈴叮噹脆響，車燈閃閃發光，父子倆非常滿意。那我又爲什麼當這份傻瓜呢？於是我也到福利社領下分期付款單，買了一雙上等芝麻皮的高跟鞋，兩百六，出門腳下有雙新鞋，立刻就去了六分寒酸。

接著他又以分期付款方式來了一條凡立丁西服褲。

福利社在同仁的一致讚揚下，越辦越起勁，居然還可以分期付款買到棉被、暖水壺、電熨斗……甚至代客訂製大小各號冰箱！

於是，我們進入了購物的狂熱，每樣東西都有足夠的理由使我們感覺到應當添置。一個人能夠花錢買東西是最舒服的事；我們都是極平凡的人，在物質生活中，便很難逃出「占有」的慾望，我們「占有」了這樣，便又希望「占有」那樣。瞧這十幾蓆榻榻米，可不是剛來時的樣子了，記得那時吧，瞧著堆在壁櫥裡用飛機運來的每人限十五公斤的行李，我不是倒在榻榻米上哭了半夜麼！現在呢，每個角落都被塞滿了。

對了，他又帶回來好消息，每年修整宿舍的款子下來了，每家攤得爲數不多，爲了體貼同人居住的方便，凡修理房屋不足之數，可以先代墊款，分半年扣清，屋漏牆塌，我們住的是第八等平字號的日產房子，該修的地方可多了。頂上補了屋漏，地上換了新蓆，紙門也該花錢了，當淡綠色的紙門裝上了，立刻感覺到新紙門配舊粉牆不是樣兒，粉刷了牆壁再一看，那糟朽的板柱才透著寒蠢！一不做二不休，全部油漆，反正有分期付款擋著哪！

這樣一來，一個家才像了樣兒，可是我告訴他說，看樣子我們的家用支持不到發薪水了，「沒關係。」他臨上班的時候很有把握地說。果然，下班就帶來了「借支半月」。

半個月很快地過去了，又到發薪水的好日子。

他又興高采烈地回來了，遞給我一封厚厚的薪金袋，然後他說：「怎麼樣，福利社又通知配售電風扇了，最新式流線型的，可以轉三百六十度。」說著他表演了一個三百六十度大轉身，臉仍然對準我。「在夏天一座電扇是很需要的，何況又是分期付款呢！」

「但是，」我的手從薪金袋裡拿出來之後，氣得直發抖，「你有沒有看看這袋裡有多少錢？」他一愣，然後說：「我一向都是原封不動地交給你呀！」

「那麼，你看看這裡面還有多少錢？」我把薪金袋裡的一疊紙拿出來，借款單，各種分期付款收據，全部送到他的面前，「買這個，買那個，把薪水扣光了還不夠哪，還有兩個死會，我找誰要錢去？」

這一來他也有點兒傻了，呆了半晌沒言語，但是不一會兒他的理由就來了，「我買哪樣不是先徵求你的同意來著？就說剛才這電扇吧……」

我截住了他的話，「可是哪樣你不是強迫我同意的呀！」

「東西買下就跟置產業一樣，這也不是什麼壞事！」

「可是我們還得吃飯哪！置產業肚子就飽了麼？」

「我幾時又餓過你了呢？」

「現在就要開始了呀！」我氣壞了，要哭一場才痛快！

「什麼開始了，有我一份！我參加！我參加！」我剛要哭出來，忽然從門外傳進來另外一個人的聲音，我們立刻停止了吵聲，原來是半年不見的蕙蕙，我們倆都不由得以「咦」的一聲來歡迎這位遠道來的不速之客。

蕙蕙脫了鞋進屋來了，她舉目環視，從房頂、屋角、地蓆，一直到眼光落到他的手腕上，然後很有自信地聳聳肩頭說：「我敢說你們近來混得還不錯！看，這房屋、這牆壁、這收音機、縫衣機、自行車，喏，還有這金錶！」然後她以一種要我們答覆的口氣「嗯——？」的詢問著。

我這時看著他，看他怎麼答覆，但是他儘管斜低著頭裝做沒事人似的，在抓他後脖子上的那塊牛皮癬！

爲了不使我的老朋友失望，我立刻以一種快樂的面容，卻是哭泣的心情對她說：「可不是，他正跟我商量要買一架電風扇呢！蕙蕙你說，三百六十度大轉身的好呢？還是一百八十度大搖頭的好？」

四十四年五月

好日子

今天是好日子——爸爸領薪水。

我說它是好日子，因爲家裡的每個人都有急待實現的希望寄予今天。

早晨媽媽去買菜，剛邁出了房門又退回來，望著牆上的美女日曆問說：「今天是幾號？」

「一號！」我和大哥異口同聲的回答——我們對於這個數字的日子有特別的警覺。媽媽聽了，也有所悟地點點頭走了。

晌午，我和大哥回來得早些，媽媽好像比我們更早，她已經燒好滿桌好菜等待爸爸。

一文不名而能端出滿桌好菜，是媽媽的本事。我們在國文課上唸過「泥他沽酒拔金釵」的詩句，是形容一位賢淑的妻子從頭上取下首飾來，給丈夫換酒請客人。可是媽媽的賢淑還不止於此，我知道她最後的一隻金戒指早在去年換給爸爸治病了。我是說，她有賒欠的好本事，當然，她並不是常使債台高壘不會算計的女人，她今天能有魄力去賒欠一桌美餐，是因爲她對於很快就可以還賬有信心的緣故。想想看，今天是什麼日子！

車鈴響三聲，是爸爸回家的記號，我搶著出去開門，大哥小心替爸爸把車子推進來，小妹趕緊接過爸爸的大皮包，我們今天對爸爸都特別獻殷勤！

大黑皮包沉得小妹扛不動，她直嚷：「爸爸好闊啊，皮包這麼重，裡面到底有多少錢？」

我們大家聽了都輕鬆地笑了，爸爸不會有滿皮包的錢，我們知道的，但是在這個好日子提到錢，總是令人興奮的。

我知道爸爸的那個黃色牛皮紙的薪水袋，每逢這種日子，他總是一回家便從他的黃卡嘰布中山裝的左上口袋裡掏出來，交給媽媽。可是今天卻沒有，爸爸彷彿沒事人兒似的，照例坐到飯桌他的主位上。

吃飯的時候，我幾次回頭探望掛在牆壁釘子上的那件中山裝，左上口袋好像鼓鼓的，又好像不，我希望那釘子不牢，爸爸的衣服掉下來，那麼我就可以趕快跑去拾起來，順便看看那口袋的確實情形。現在我們大家悶悶地吃著飯，簡直叫人沉不住氣！

我相信沉不住氣的實在不祇我一個人，連爸爸在內，可是我們誰都不開口問爸爸，關於薪水的事。

爸爸今天胃口眞好，當盛第三碗飯的時候，沉不住氣的媽媽，終於開口了：

「你看今天的牛舌燒得還不錯吧？」

「相當好！」爸爸咂咂嘴，點點頭。媽媽又說：

「今天的牛舌才十五塊，不算貴。——還沒給錢呢！」

媽媽說話的技術眞了不起！我們的國文老師教作文方法時講過「點題」，媽媽在學校時作文一定很好，她知道怎麼「點題」，引起爸爸的注意。果然，爸爸聽見媽媽這麼說了後，彷彿想起了一件重要的事，「噢！」他立刻起身，從掛在釘子上的中山裝的左上口袋裡掏出那牛皮紙袋來，放在飯桌上媽媽的面前：

「喏，發薪水了。」

我們大家的眼睛，立刻從紅燒牛舌轉移到那紙袋上，上面一項一項寫得很明白，什麼本俸啦、服裝費啦、眷屬津貼啦、職務加給啦……名堂繁多，加到一起一共三七六・五六元，還是那個老行市！爸爸是薦任六級，官拜科長。

我們的家庭是最最民主的。媽媽一面打開薪水袋，一面問大哥：

「你說要買什麼來著？」

大哥一聽，興奮得很，滿臉放光，兩隻大巴掌交搓著：

「儀器一盒，大概一百五十塊，上幾何課總跟同學借，人家直不願意；球鞋也該買了，回力四十號的三十六塊，還有，還有，還有……」大哥想不起來了，急得用手直摸腦袋，「喔，還有，頭髮該理了，三塊五。」

「你呢？」媽媽轉向我。

「我？一枝自來水筆，爸爸答應過的，考上高中就送給我，派克二十一的好了，只要九十多塊；天冷了學校規定做黑色外套，大概要七十多塊，還有，學校捐款勞軍，起碼五塊。」我一口氣數完了，靜候發落。

媽媽聽了沒說什麼，她把薪水袋一倒提溜，三七六．五六元全部傾瀉出來。她做一次攤牌式的分配，一份一份數著說：

「這是還肉店的，這是還張記小店的，這是電燈費、水費，這是報費，這是戶稅，這是……這……」

眼見薪水去了一大半，結果她還是數了三張小票給大哥：

「喏，理髮的錢，拿去。」

又抽出一張紅票子給我：

「這是你的學校捐款五塊。」

媽媽見我和大哥的眼睛還盯住她手裡的一小疊票子，又找補了一句：

「臢下要買的，等下個月再說吧！」

媽媽又轉向爸爸，爸爸正專心在剔他的牙縫裡的肉絲絲（爸爸簡直不能吃肉！），媽媽把手中的票子晃了晃對爸爸說：

「我看你的牙，這個月也拔不了吧？」

爸爸連忙說：「沒關係，尚能支持！尚能支持！」

媽媽剛要把錢票收起來，忽然看見桌旁還坐著一個默默靜觀的小女孩。

「對了，還有你呢，你要買什麼？」媽媽問小妹。

小妹不慌不忙地翹起她的食指來：

「一毛錢，媽媽，抽彩去！」

媽媽笑了，一個黃銅錢立刻遞到小妹的手裡。——今天只有小妹達到她的全部希望。

我忽然覺得很無聊，把那張紅票子疊呀疊的，疊成一隻蝴蝶，裝進我的制服口袋裡。爸爸也站起來了，他說：

「盼著吧，又——有信兒要調整待遇了！」他把那「又」字拉得又長又重。

穿上了中山裝，爸爸又下了一個結論：

「想當年北平有四大賤：擠電車、吃鹹鹽、四等窯子、公務員。哈！」

就這樣，我們的好日子又過去一個！

四十二年十一月

第二輯

小紅鞋

從植物園出來，將近十二點了，李凡把小女兒婉婉抱到自行車的大樑上坐好，父女倆便頂著毒烈的陽光，向回家的路上奔馳。

李凡低頭正可以看見婉婉的側臉，面孔紅紅的像蘋果，小眼閃閃地不知打什麼主意。李凡不禁又用囑咐的口吻說：

「我說的話記住沒有？別跟媽媽說我們又在植物園裡碰見黃姑姑了。」

婉婉瞪了爸爸一眼，有點不耐煩的樣子說，「知道了嘛！」剛好路邊的椰子樹旁，有一個賣冰棒的，婉婉便鼓起腮幫子，說：「那——我就要吃冰棒！」

明明是要挾的口氣，李凡想要使出爸爸的尊嚴制止她，像往常一樣的說：「街上的冰棒不清潔，吃了肚子會壞的！」但是他看小女兒的小嘴唇閉得緊緊的，是十分倔強的、沒商量餘地的等待著呢，李凡在剎那間倒被這個小女兒制住了，他衹好煞住車給婉婉買了一根。

經過食品店，李凡又想起正在害喜、胃口反常的妻，便又大包小包買了許多。

婉婉的冰棒，很快就吃得祇剩了一根竹籤，騎在車大樑上很無聊，抬頭正好看見爸爸的一副嘴臉，摸一摸爸爸刮得青幫幫的嘴巴，婉婉漫不經心地問：

「爸爸，黃姑姑怎麼今天又到植物園來了呢？她也跟我們一樣，每個星期都要來散步嗎？」

「是的，婉婉，爸爸不是說過，不要再提黃姑姑的事了嗎？」

「那麼媽媽認識不認識黃姑姑呢？」

「不認識，不認識！好了，如果你再提黃姑姑，」李凡被這小女兒纏得有點氣急，但是他仍不得不把口氣緩和下來，「如果你再提黃姑姑，那雙新皮鞋就吹了！」

「好吧，好吧，爸爸，」女兒的口氣也軟了，「要紅色的，聽見沒有？可是你哪天給我買來呢？」

「下星期爸爸就可以發薪水了，那時候，我還帶你到植物園來——散散步，然後去買鞋。」

這麼講好了條件以後，婉婉才算停住了嘴，父女倆暫時沉默了。李凡在沉默中跌入回憶：

和黃香的再遇是偶然的。

妻自從又懷孕以後，身體總是不太舒服，她的胃口不好，不耐煩，嫌婉婉鬧，所以到了星期日，李凡便把淘氣的婉婉帶出去各處走走，上星期日他們到了植物園，把婉婉安頓在荷花池旁，他照例又挾著書本走向涼亭去。就在這時遇見了黃香——幾年不見的黃香。因爲太突然了，李凡有點不自然，他只「啊」了一聲，簡直手足無措，倒是黃香來得大方，她伸出手來跟他握，一面對他說：

「李凡嗎？眞是巧極了！」

「是的。我們有幾年不見了！」

他們坐下來，談著各人的近況，李凡並且介紹了他的女兒婉婉給黃姑姑。黃香拉著婉婉的小手，不住地說：「有這麼大的女兒啦！」然後微笑著看李凡，這一笑使李凡有點不安了，是裡面有什麼含蓄嗎？

七年以前，他們同學時，李凡曾熱烈地追求黃香，他寫了許多熱情的信給她，卻一直未獲芳心。這份追求的熱情是純潔的，黃香雖然拒絕愛，卻沒有拒絕友情，他們仍然是好同學，她說她有抱負，不願爲兒女私情，阻礙了光明燦爛的前途。不久畢業了，李凡知道他的追求是無望的，死了這條心，所以畢業後，由漸漸疏遠，以至於失去聯絡和音訊，以後再也沒有見到。時光流逝最能沖淡記憶，黃香從李凡的記憶裡失去不少年了。可是今日突然相見，往事從回憶裡泛上來，李凡確有些情不自禁咧！尤其當他知道黃香還是單身，倒引起他一些莫名的興趣。

今天是他們約會的第二個星期日。

李凡一直是個好丈夫，他並沒有意思一定要把遇見黃香的事，瞞過自己的妻子，關於他和黃香，他也不是沒跟妻講過。可是，他竟這麼做了，不但瞞著妻子，並且囑咐婉婉也不要告訴媽媽。

女人在這方面的度量，究竟還是狹小的——他替自己的行爲解釋。不說也罷，好在他並不是有什麼企圖，這隱瞞也不算什麼有虧於良知吧！但是自己爲什麼這樣急於和黃香見面呢？又爲什麼一定要穿著熨得筆挺的西裝，而且結了配色的領帶呢？他也回答不出來。他暗笑自己心裡的矛盾，難道這就是一般人所認爲的——一個中年男子所需要的刺激嗎？但對可愛的妻，縱然兩次都因心中不安而買了她所愛吃的東西回去，可是仍不能掩飾他的內疚。

在這樣情形下，連女兒都得拿出幾分手段去對付，愛情眞苦！不，不，不，怎麼能說是愛情呢！他怎敢隨便說他和黃香的再見是有關愛情呢！這是千萬使不得的事情，他的良知在摑他的嘴巴了！

可是他仍不能否認，他是在極端矛盾的心情下，盼望著第三個星期日的來臨。

這是第三個星期日了。

吃早點的時候，他和女兒交換著會心的微笑，婉婉扮個鬼臉，竟格格地笑起來了，他也不由得跟著傻笑，笑的是什麼？他不知道女兒笑的是什麼；也不知道自己笑的是什麼。他年輕了，有些事情使他年輕了！他看著妻，一副嚴肅的樣子，假生氣地叱責他們父女倆「沒大沒小」！

眞是的，快做兩個孩子的母親，就和沒結婚的是兩樣了，他這麼想著。

吃完早點，李凡把昨天領來的薪水袋交給妻，妻微笑著，從裡面夾出一小疊鈔票塞在李凡的手裡：「喏，留著零用吧！」

經濟大權一向是操縱在妻的手裡，他每月只領一些零用錢，他不反對這個，他不是亂花錢的男人，抽抽菸，理理髮而已，錢放在勤儉克己的妻子手裡，對於一個正常的家庭，祇有好處，沒有壞處，他不反對這個，他可以重複說一遍！

但是給婉婉買紅色皮鞋的諾言，他可不能忘了呀，這個月他必須暫時戒菸，省下一筆買鞋的錢了。他不能失信，那小鬼頭可壞呢，剛才不是還笑著暗示過了嗎？想到這兒，他告訴妻，趕快給婉婉換衣服，他們仍然要到植物園去消磨一個上午。買鞋的事他沒有說，好像有點師出無名似的。

妻領著換好了衣服的婉婉出來了。婉婉舉起腳來在爸爸的面前晃了晃：

「爸爸，看婉婉的紅皮鞋喲！嗯——媽媽說，今天請黃姑姑來家吃飯，好吧？」

說完跑出去了。

看見婉婉腳上穿著一雙紅色的漏空新皮鞋，李凡愣住了，也有點不知所措，他一抬頭望著站在對面的妻，一個淘氣、容忍、微笑的面孔迎著他。

「那麼——是婉婉告訴你了？」李凡把妻摟過來。

「嗯。」

「所以，你就搶先給那小壞東西買了一雙小紅鞋？」

「嗯。」妻忍不住笑了。

李凡不禁緊緊地摟著妻，在她耳旁喃喃地說著：

「我就知道，你不是好惹的！」

然後他深深地，深深地吻著她，在愛情的紀錄上，他從沒有像今天這麼感動過！

四十四年七月

愛情的散步

她覺得有點冷，把大衣領豎起來，趕上前兩步，把手伸進他的臂彎裡。他也更夾緊了自己的胳膊，這樣更將她拉近身邊，倆人緊靠著走，好像暖和些。

冬夜特別靜，這時並不算太晚，但是小巷已進入夢鄉，街燈孤零零地照著寂靜的石子路，顯得很淒清。兩旁的人家，有的完全黑暗了，有的還亮著一盞燈。那一盞燈所以還沒有滅，是因爲有個明天要考試的學生嗎？或是有個長夜寫作的男人？也許有個夜夜等待丈夫遲歸的妻子嗎？——她這麼想，不由得探頭朝籬笆縫裡望進去，是希望看見她所預料的現象沒有錯，但是她沒來得及看清楚，便和他走出了這條小巷。

穿過橫街時，吹來一陣冷風，她打了個噴嚏——手絹呢？啊，忘記帶了。或者——她想著，把被夾在臂彎裡的手，順勢伸進他的大衣口袋裡，在他的口袋裡，有一條她的手絹也說不定。她常常在出門的時候，不知怎麼就把手絹遺落在他的口袋裡了。但是，這回她沒有摸到，裡面並沒有一條手絹，她的嘴角一動，笑了——她弄錯了，那不是現在，而是很久以前的事了……

那時眞有趣，還沒有結婚呢，她常常和他手挽著手，一條街一條街的散步下去，她忽然要用手絹——她的身上總離不開有一條花花綠綠的小手絹，但是她各處摸索不到，於是懊喪地對他說：「丟了，我的手絹！」他聽了她的話，站住了，頭一斜，眼珠一轉，從大衣口袋裡掏出一條手絹來，正是她的。「喏，這不是！」他用責怪一個糊塗的女孩子的眼光看著她，她搶過手絹來，淘氣地笑了！

她還可以由此記起一些另外的事：像這樣的冬日，在北方早就看見雪了，不是嗎？他們夜遊歸來，在有雪的日子，總喜歡走路回家，腳上的毛窩踩著厚厚的雪，發出「吱，吱」的聲音來。夜也是這麼靜，小胡同裡的街燈也是這麼淒清，但這裡可不是那個地方和那個年代了！

她沒有摸到手絹，卻碰到一些什麼，啊，是一捲鈔票！算算日子看，是發了年終的雙薪吧，怪不得在孩子們都睡了以後，他對她說：「走，到街上散散步，買點兒東西去。」她再捏捏那捲帶著他的體溫的票子，估計一下它有多少，對於這，她似乎很有把握，於是用力的握了一下，唉！有限得很！但比平常總多些的。

她握住這捲鈔票，想著他們的日子。她不是追著丈夫要錢的女人，她知道他祗掙多少，每個月，他把那封命薄如紙的薪俸袋拿回來，原封不動地放在五斗櫃的中間小抽屜裡，她常在出其不意地打開抽屜時，發現那裡面躺著那封寫滿了各種數目字的牛皮紙袋，她逐項地算下去，扣除了這樣那樣，祇剩薄薄的一疊了。她要儉省——幾乎是吝嗇地在這一個月裡慢慢打發這疊鈔票。而今天——她想到這兒，再握一下那捲票子，似乎多些了呢，可以買點兒東西了。

是她的手在口袋裡太久了嗎？他的手也伸進來了，握住她的手，他知道她已發現那捲票子，於是側過臉向她微微一笑，好像是說：「我原想給你一個驚奇的呢！」他摩撫著她的粗糙的手，心中突然回到遠遠的時候去，那時他第一次認識她，在她讀書的學校裡。當他被介紹給她時，他伸出手來握住她的，隨即被她那嬌小惹人憐愛的模樣吸引住，竟忘記放開她的手，她害羞地將手縮回去。——就是這雙手，和他共度過這麼多年，建立起一個可愛可戀的家來；也就是這雙粗糙的手，說明了一個無能的丈夫對於扶養家庭的成績是如何的慚愧。難爲她，一個嬌弱的女孩子，連續地生下許多小孩，孩子的增多，使他們的生活更加艱苦，但是她似乎從沒有說過一句埋怨的話，靜靜地管理著這個家，一塊布，一根針和線，能使她在燈下坐到半夜。他是多麼愛她，初戀好像永無停止，但是幾年來，他也祇有以每天早早歸來表示他的戀情。事實上，他並不願去任何地方，下班鈴一響，立刻有四個小孩的影像浮上來，他要急急離去，爲的是坐在那張單人沙發上，受四個孩子的包圍；爲的是在燈下看她把一團毛線、兩根竹針，變出許多花樣來，這個時刻對於他是如何的盼切和滿足啊！但，她的手便在他的滿足下變得粗糙了。他緊緊地握住她的手，心中感到無限的愧歉，無限的愛戀。

眼前的路忽然亮了，他們倆同時略停了停腳步，原來這是一個警務機關，紅色的燈光徹夜地照著。紅色是警告！他的心打了一個冷戰，快一年了吧，他簡直不願回憶這件事，正像他不願經過這個地方。

因爲產後失調失去健康的她，纏綿病床有些日子了，家庭沒有主宰，日子過得很狼狽！就在這時一個同事兼同學的劉來找他了，商量一件可以使他得到一筆爲數不小的收入的事，祇需要藉他在職務上的便利，做一點毫不費力但屬不能公開的舉動就可以。

「不！」他一下就拒絕了。但是對方以最誠懇的態度向他解釋這個舉動對他並無害的理由。想到呻吟病榻的妻，因爲沒有足夠的金錢而拖延的痛苦，他發了一會兒呆。「絕對沒有關係的，絕對的！」對方一再的保證。他動搖了，居然答應考慮一下，第二天給他的同學回音。

他記得很清楚，當他回到家裡時，掙扎在床邊的妻顯得精神多了，她把他叫到床前，興奮地告訴他說劉的太太來了。她並且說劉太太的來意，是求她代向丈夫說項可以發一筆財的事。「哦，那你怎麼說的？」聽了他的問話，她似乎有點惱怒了，「你以為我們沒有錢，我就會答應她嗎？」妻的聲音提高了，「我告訴她說，我丈夫的名譽比我的身體更重要。」當時他是怎樣羞慚地摟著她瘦弱的身軀，吻著她的後頸，而暗暗抹去一個男人輕易不肯流出的眼淚啊！

不久事發了。他的同學鋃鐺入獄，被判了七年徒刑，就是由這個亮著紅燈的機關去逮捕的。紅燈是警告，他經過這裡時怎能無動於衷呢！是她，把他從一念之差裡拯救過來，但是她並不知道，他也沒有把那次劉找他的事公開出來。「絕對沒有關係的！」那是一句多麼有誘惑力的話，這句話差點兒把他從懸崖上扔下去，像劉一樣，摔得粉碎！

紅燈也使她有所思——該去看看劉太太了，雖然她的丈夫入獄了，但是他們究竟是朋友。七年是漫長的，要慢慢的度過，那是多麼難為一個做妻子啊！但是做妻子的就完全沒有責任了嗎？如果那時我答應了她，而逼著丈夫……七年，可以使一個孩子長大，一個大人變老，而他所失去的七年該是人生最寶貴的一段，這簡直不堪想像。

前面更光亮，聲音也嘈雜起來，是到了熱鬧的市區。離耶誕節沒有幾天了，商店的櫥窗都裝飾得更吸引行人，每個櫥窗都值得讓她逗留，不能買的東西看看也好，一個美麗的粉盒、一件流行的大衣、一架短波的無線電，她都可以站在窗前假設那是屬於她的，做孩子的時候她就喜歡這麼想，如今還沒有改掉兒時的脾氣！

事實上她倒是該買件毛衣了，身上的這件毛衣顏色已經顯得很舊了，星期日吃喜酒去，如果有一件像窗子裡的淺灰色毛衣，不是更好些嗎？或者可以買——她估量著他口袋裡那捲錢。但是，她又想到大女兒，她不是一直希望一條法蘭絨的西裝褲嗎？那麼一定要給她買一條，那件舊毛衣索性染成黑的，就等於見一下新了，還是老二老三呢，毛手套也都該織新的了。

另一個櫥窗前站的是望著那雙黑皮鞋出神的他。眞該換雙新的了，他望著自己腳上的一雙舊皮鞋，已經換過前掌後跟了，現在全靠著加勤的上油來支持它的面子了。他買一雙好鞋是划算的，因爲他有過一雙鞋穿八年的紀錄，比老劉的七年有期徒刑還長！想到這兒，自己也好笑了，想得離奇，像小孩子了！說到孩子，他倒眞的想起了自己的兒子來了，已經讀中學的兒子盼望一雙高統皮靴有多久了？他不是常常要求說：「爸爸，給我買一雙高統的，黃色的靴子吧！和您的腳一樣大，衹要您替我試合適買回來就可以了。」和自己的腳一樣大，孩子可眞不小啦！他又心滿意足了，決定先給兒子買一雙再說。

那薄薄的一疊鈔票，剛好買了四個孩子的東西，唯有這樣才使他們倆安心，他們可以把自己所要的寄予「下次再買」的希望中。

她預備把今天買的東西，算做送給孩子們的耶誕禮物，他們雖然不是基督徒，但是小孩子總是喜歡過節日的，她曾經是個孩子，所以知道。

決定不走那條有紅燈的路了，寧可抄小路，踩狗屎，他這麼想著，便下意識地走到前面領路。轉過幾條小巷，看見了前面老榕樹隙射出來的燈光，他們倆同時呼出「到家了！」的心聲。「要快些了！」她更這麼想，加緊了腳步，她急於回家去親吻在夢中的她的小嬰孩。

她邁上家門前的石階時有點喘，他的手臂彎過來摟著她的腰，輕輕地問：「累了吧？」

「不，一點也不。」她回答。

四十二年十二月

墮胎記

聽見妻和鄰居太太招呼的聲音，知道她從菜場回來了。我扔開報紙迎上去，想看看菜籃裡裝的什麼鮮貨。誰知妻見了我，把原來對鄰居太太的那副笑臉收斂起，立刻換一副繃得比女車掌還難過的臉色來。喘著氣，提起菜籃，一扭身就轉到廚房去了。

我頹然倒在沙發上，拾起報紙卻怎麼也看不下去，是什麼事又開罪了妻呢？我琢磨著，是哪句話說錯了嗎？沒有呀，我們這一向好得很，是又沒錢了嗎？不可能呀，四百塊錢加班費前天才原封奉上的。再說，我菸也戒了，酒也不喝了，想來想去，她實在沒有理由生我的氣。

「爸，褲子！」我正愣愣地想著，小四拉完屎提著褲子來了。

「去去去，找你媽給穿去！」我也不耐煩了。

一聲喊，把小四嚇跑了，也把小五驚醒了，哇哇哭得好傷心，哭去吧，反正今天過禮拜！過一會兒，妻怒氣沖沖地進來了，朝著小床奔，臉卻朝著我罵：

「四腳朝天，擺什麼老爺架子！」

對於女人，就是給她個相應不理，罵去吧，這種滋味也不是第一回了。

到了午飯時，只聽見妻沒好聲氣，狠狠地在廚房對老三說：「去叫你爸爸吃飯！」

我的心勝利地笑了，她無論怎麼生我的氣，飯總要燒給我吃的；我什麼都行，就是不會燒飯呀！

走近飯桌，看見了乾燒冬筍，紅燒獅子頭。若說這是妻的拿手菜，毋寧說是因我嗜吃而造成的。妻又從廚房端出來熱騰騰的砂鍋魚頭，美哉今天的菜，皆我所欲也！我抬頭看妻，滿臉通紅一身汗，不由得心裡暗叫慚愧，她雖生我氣，卻仍這樣體貼我，叫我舉箸也難爲情。難怪女人家常怨男人不體貼溫存，男人有些地方也實在太粗心大意了。但是女人的脾氣說也怪，你覺得哪點不如意可以說話呀，幹麼拿生氣來對付男人，叫人從何琢磨起？琢磨不出，就給你按上個「不善體貼」的罪名。

爲了打破這不祥的禮拜天的僵局，我非找點兒小事兒來體貼體貼太太不可。我思索著，想起來了，妻不是說過，加班費發下來，她要去買一雙高跟鞋嗎？對！孩子們吃完一個個滾出去了，飯桌上祇賸下我們夫妻倆。

「下午我陪你去買鞋，順便看看三舅去。」

「嗯？」她聽了我的話，先是一驚，抬頭看了我一眼，然後說：「不買了，沒那份閒錢！」出口不利，碰個大釘子！

我忽然意識到，妻的這句話或許是錢不夠用的意思，她也許還想買件旗袍料手提包什麼的罷？飯後我又把剛收到的一百塊錢稿費全部奉獻出來：

「我這兒還有一百，拿去一塊兒差不多了罷？」

「跟你說不買不買了嘛！這兩個錢還有的是倒楣用處哪！」今天的氣壓太低，我怎麼低聲下氣都不行了。妻說完忽然捧住胸口，皺著眉頭向外跑，一出屋門哇的就把午飯全還了席了。我心裡想，妻的氣性可眞不小，居然氣得直吐，這是何苦來，到底是爲了哪一樁呀？我今天不能再開口了，沒有一句話得到良好的反應，索性把看不完的報紙舉起來，剛好是個紙幕，隔開妻與我的視線。

這樣沉默了一會兒，我不知道妻坐在我的對面幹什麼，她也許在給孩子們縫縫補補罷？我把報紙斜過去一點兒偷看一下，了不得，她在淌眼淚呢！

「這是幹什麼？」我不知應當怎麼安慰她，多念幾年書的女人，總覺得自己是富於情感的，動不動就表現情感。「我又有了！」她雙眉緊鎖。

「又有了？」這句話可眞如晴天霹靂一樣，嚇人一跳，我也不由得有點驚奇，我們的五少爺才剛剛斷奶呀！

「我這回可要打掉，已經跟張太太打聽好了醫生。」

我這時才恍然大悟，妻這兩天爲什麼儘跟我生氣，又爲什麼不買皮鞋，而且說錢派了什麼倒楣的用場的話，我沒有回答她的話，卻在回想著：

妻從懷第二個孩子起，每次都哭鬧著說要打掉，結果每一個都活生生、白胖胖的降臨寒舍！記得去年我們的五少爺出世以後，她曾切切實實地對我警告說：「我可不生了，聽見沒有？」我怎敢不答應，連忙唯唯稱是，好像她生孩子都是我的罪行！誰知現在又——唉！

在這公共宿舍裡，對於生孩子，我們原有著「良好紀錄」的令譽，嗜賭如命的老張，三句話不離本行，就曾比方說過：他自己膝前十個兒女，堪稱「天槓」；我們是三男二女，他名之爲 Full House；至於老趙，結婚十年，一無所獲，故曰「閉十」！何況我們的孩子個個吃得飽，哭得響，長得壯，以優生的眼光來看，多生個把又何妨？想到這裡，我不由得以愉快的聲氣對哭喪著臉的妻說：

「不要打掉吧，五個跟六個所差有限，湊成半打算了！」

誰知妻聽了我的話，把眼睛瞪得好大，「你倒會說風涼話，敢情你是當現成的爸爸，連給孩子穿穿褲子都不肯的，還說什麼……」說著說著，她又要哭了，「我這回非打掉不可！」

對於女人的決定，你不必堅持反對的意見，以冷靜的態度旁觀就好了。

可是等到妻氣哼哼出門而去，我卻有些後悔了，對於一個多年相愛的妻，能以這種冷靜的態度袖手旁觀嗎？我畢竟是個不知體貼又狠心的丈夫啊。墮胎在台灣雖不算回事兒，但有時也不簡單，比如有個叔叔帶了姪女去打胎的，不是就闖下了人命大禍嗎？我想追蹤而去，卻又不知道妻是預備到哪家醫院。我以焦急的心情等待，三點，四點，五點過去了，終於聽到妻回家的聲音。

意外的，妻竟是春風滿面，手裡提著一個鞋盒，進來就把鞋盒高高舉起：「看看我的鞋，樣子如何？」我不要看鞋，先要問問究竟，她的態度變得好蹊蹺！我走近她的身旁：「怎麼樣了，你到底是……？」

她頭一斜，眉毛向上挑，調皮地：「怎麼樣？還不是聽你的鬼話不打了！」

我心中重壓頓釋，不禁莞爾。想到一天雲消霧散，想到半打的好紀錄，想到終生相愛的這可愛的小婦人，我非吻她不可！推開鞋盒，搬起她的下巴，我把臉湊上去，妻似惱似嗔地罵道：「討厭的，鬍子也不刮！」

四十二年十一月

第三輯

會唱的球

這是今天下午的最後一節課。

當我剛一走上講台，就看見下面有十幾隻小手舉起來。

我知道，愛告狀的孩子，不願錯過本日的最後一次機會。

讓我想想——上一節他們上的是體育課，那就難怪了，教體育的馮老師很嚴，簡直不許他們有告狀的機會，體育課又那麼容易製造糾紛，你碰我一下，我踩你一腳，都可以構成告狀的理由。

小小的年紀，先學會了訟棍的本事，我厭煩孩子們這種壞習慣。我一邊這麼想，便裝作沒看見，儘管低著頭翻書本，然後轉身向黑板，開始寫第二十六課「我最欽佩的人」的生字。

我這麼做，常常很有效，他們見我不理，便會覺得無味，把舉酸了的手放下來。但是這回並不，我聽見：「老師！」有一聲輕輕地喊叫，我仍裝做沒聽見。

「老——師！」我不能不回過頭來，叫起最前面的一個。

「黃澤的球被人偷去了，老師，會唱的球！」被叫起來的這麼報告。

又一個舉起手的：

「那個球不是眞正會唱，祇是一打開就有音樂響起來。」

「黃澤的爸爸從香港帶來的！」

「大概要美金一千塊吧，被誰偷去了？」

「一定要把偷東西的賊捉到！」

「…………」

「…………」

大家被這個什麼「會唱的球」搞得完全忘了教室裡的秩序，你一言我一語地亂嚷著。但是眞奇怪，那個失主黃澤卻安坐在位子上，一語不發，大模大樣，好像手下自有人替他辦事。

我用板擦敲打著桌子，「我到底聽誰的？」我生氣的聲音壓制了孩子們的騷擾，他們安靜下來了。

「馮小宏，你說到底是怎麼回事兒？」

我叫起本班的班長，他可以有條有理地講給我聽，但是馮小宏今天也顯得語無倫次了。

「是這麼回事，老師，黃澤的爸爸從香港給他帶來一個玻璃球，會唱的球，這麼一打開，音樂就響起來了，蓋上就不唱，不，就不響了，黃澤說值一百塊美金，劉明說值一千塊……」我不得不截住他的廢話：

「你就說球是怎麼丟的好了，誰叫你講價錢？」

我說這話是顯得有點不耐煩了，叫黃澤的這個小先主，本來是個聰明而英俊的男孩子，他的父親是一條商船的船長，當然有很多方便給他的家人，尤其他的寶貝兒子，經常帶些外來貨。吃的、穿的、用的，他在這班上總顯得跟別人不同些。比如星期四是換洗制服的日子，這是爲了給祇有一套制服的學生方便，他們在這天可以不穿制服來上學，有兩套制服的就換另外一套。但是黃澤每逢這天便換了他的新行頭來，炫耀於同學間。至於各種玩具在他手裡更是經常出現。手頭闊綽其實也不是什麼有失人格的事，各人的家庭環境不同，但是在物質生活極其貧乏的我們的國度裡，就彷彿看不得這種突出的表現，是人人對物質的觀念都免不了有些自卑感嗎？我雖然喜歡黃澤的聰明、用功，但也不能免去討厭他的這些表現。

對於孩子們來說，黃澤更是常常影響同學們情緒的一個。在都市的生活裡，物質的誘惑對人們是一個威脅，就連孩子也不例外。每逢黃澤表現了新花樣時，便給其他的孩子們帶來一陣騷動，看他們或豔羨、或巴結、或不屑，愛憎的反應雖然不同，但是卻沒有一個眞正能「不動心」的。因此使我常常想到，難道我們的教育還缺欠點兒什麼？

就拿今天的事情來說，更增加我的一份惶恐。據班長的報告說，在未上體育課前，這隻「會唱的球」是在著的，等他們從操場下完體育課回來，它便從黃澤的位子裡失蹤了。一定是他們在體育課上玩躲避球的時候，有人潛回來教室偷去的，當然他們並不知道是誰，連有嫌疑的人都指不出來，不過他們願意全體被搜查。

我這時忽然想起，在他們上體育課的時候，我到校長室去時曾路過本班的教室，在恍惚中彷彿看到窗子裡有一個學生，但那祇是一個背影，一個一律黃卡嘰童子軍服裝下的背影！

但是，我們勢必得把這隻「會唱的球」找出來，這隻球不會離開偷它的人的身上的，然而，在我的班上，誰又是那個可疑的賊？我感到惶恐的倒不是怕搜不出這隻球，反而怕的是從他們之中哪一個口袋裡搜出來！這班學生是從他們二年級時，我便任教，到現在六年級，快畢業了，在要離開我以前，忽然出了一個賊。我側過頭，看黑板上我剛寫的幾個白色的字「我最欽佩的人」，心中有說不出的不安。

我再回課堂上望去，六十多個學生，一百多隻小眼睛，也閃閃地向我看著。在四年多的過程中，我了解每一個孩子，他們並不是個個都聰明的，有時笨得我著急；也不是個個都聽話的，淘氣的孩子常常挨我的罵。但是，在他們中間，要我指出一個做賊的來，卻使我無法相信，但事實上，勢必如此。

那麼我們今天就不要上這課「我最欽佩的人」了吧?!

我把書閤起來，擦掉黑板上的字，拍拍手上的粉筆末，孩子們一直用疑慮的眼光望著我的一舉一動。

然後我用鄭重的口氣說：

「爲了尊重同學們的人格，我不願當場搜查每個同學，一個人是難免在一時糊塗中犯一點過錯的，我相信他這時已經後悔了，他有一個改過的機會。好，同學們都排隊到操場上去！」

孩子們以一種不知道老師的悶葫蘆裡賣的什麼藥的態度，面面相覷地排隊走出去。到了操場上，我又說：

「現在我一個人回教室去，然後同學按著排隊的順序，一個個到教室裡來，希望拿那個球的同學把球交給我，自己認爲沒有拿的，進來一趟再出去好了。」

囑咐完了，我便回到教室，安坐在講台上的「太師椅」上。我已經預備好了台詞，我將要用「溫和的責備」的口氣，對那個偷球的孩子說：「好極了，你能夠把球交出來，就等於重新拾回你的人格，聖人還有過呢，這算不得什麼，祇有我和你知道這件事，但我們要把它忘掉，從此不再提起它……」然後我拍拍他的肩頭，目送他出去。

每一個孩子走進來，見了我都有不同的表情，有的伸舌頭做鬼臉，有的正經地說沒有偷東西的理由，有的叫我搜查，有的自動把口袋翻出來，有的淘氣地在教室裡繞一圈，有的……一直到班長走進來報告我說，全班的同學都已輪完時，我不免爲之一驚——沒有一個人把球交給我！

我向操場走去，那裡有一群期待著我的孩子，我必須迅速地想出下一步應當怎麼做，我慢慢地走，快快地想，到了操場上，我立刻很輕快地說：

「偷球的同學並沒有把球交出來，」同學們聽了，異口同聲的驚歎了一下，「但是，我了解那位同學的意思了，這是他有生以來第一次的錯誤，他後悔極了，但他希望在沒有任何人知道的情形下——包括老師在內，把球送回到黃澤的抽屜裡，是不是？所以，這一回我也留在操場上。仍按著剛才的辦法，拿球的人，就把球放回去。」

這也許仍是一次冒險的辦法，這時離下課還有十幾分鐘了，我也爲自己捏一把汗，在下課鈴響以前，這隻會唱的球是否會出現？可是一個負責教育使命的工作者，是不能擺脫或忽略任何責任的，我從來沒有過。對孩子我有一份說不出的愛護的心，我是多麼願意看到他們成長、茁壯、燦爛、無垢……。

小身影一個個從操場那邊交替地跑過來，十幾分鐘在我的思慮中過去了，孩子們又都已輪完了。

「現在回到教室去！」

我不知道如果那球仍沒有……我應當怎麼辦，我來不及再想了。可是當我走上講台，還沒有轉過身來時，下面一聲喊：

「球！老師！」

跟著是一陣歡呼，待我面向著台下時，黃澤把球高高地舉起來，燦爛耀目，又亮又圓，掀開小玻璃蓋，有一陣悠揚的音樂發出來。它便是使多少孩子羨煞的會唱的球，還差點兒讓一個孩子爲它犯了罪。

在音樂聲裡，下課鈴響了，我告訴同學們說，明天午間大家帶便當來學校吃，我們要補一堂課。

出了校門，後面有人追上來，是馮老師知道了這件事，特意來問我：

「到底是誰偷的？」

「我不知道。」我輕鬆地回答，同時我的腦海裡卻浮出一個黃卡嘰童子軍裝的背影——在教室的窗外所看到的那個，我不用追究那個孩子的正臉到底是誰，因爲左耳後有一塊禿疤的，在本班衹有一個人！我心中暗暗地笑了，但是我仍漫不經心地接著對馮老師說：

「其實，又何必一定要知道呢！」

四十四年六月

母親是好榜樣

下午五點鐘正是大吉祥上座的時候，它沾了對面是大世界電影院的光。當第三場的觀眾出來了，第四場的還沒進去時，大吉祥便在這人潮的一湧一退之間熱鬧起來了。

「四喜湯糰一客！」

「排骨麵一客！」

隨著茶房的喊聲，這間細長的小吃店開始擁擠。散場的客人湧進，趕場的客人擠出，茶房托著菜盤，不得不高高地舉過客人的頭頂穿梭而行。這時大家都顯得特別匆忙，每個人都在爲爭取時間發脾氣，客人怕趕不上電影，茶房怕趕不上客人。

擦皮鞋的孩子們也偏愛在這時候跟著搗亂！

「小鬼！」王泰的屁股挨了一腳，是被茶房踢的，客人嫌茶房上菜太慢，茶房嫌王泰蹲在這裡擋路。

王泰沒辦法，祇好再向桌邊挪挪，吃著燙嘴的湯糰的客人又瞪大了眼睛罵：

「告訴你不要擦嘛！」

旁邊這位胖太太也皺著眉頭跟一句：「討厭！」

好在王泰已經習慣這些了，他再向裡面擠擠，走到另一張桌前蹲下去，從前他還仔細看看客人的皮鞋是否需要擦，現在他不管這些了，握住客人的皮鞋便問：「擦皮鞋嗎？」擦鞋小孩所以惹人討厭就是這樣。但是在這短短的上座時間，爲了爭取時間——乾脆說爲了爭取一塊錢的生意，他就不能不這麼討人嫌。

但究竟還是可以碰到找上門的買賣，在屋角的桌旁，王泰遇見了他的老主顧。

「小鬼，過來！」客人從桌下伸出腳來，王泰看見是報館記者林先生，帶著他的女朋友。

於是王泰便像條小狗一樣，乖乖地蹲到桌子下面去，打開擦鞋箱，熟練地上油，桿光，窸窸窣窣地工作起來。

桌上面的客人正以一種欣賞的心情吃著那碗排骨麵，嘖嘖的咬排骨聲，呼嚕呼嚕的吸食麵條聲，王泰雖在桌下，也能領略到，或者可以說，想像得到那食物的美味。

五點鐘了，人人的肚子都會叫餓的，王泰並不例外。他放學趕著回家換了衣服，背上擦鞋箱便往外跑，母親雖然每次都說：「燙碗飯吃再走吧！」但是王泰不願錯過兩場電影中間的好生意，所以他寧可餓著肚子。人總不愧是可鍛鍊的動物，餓慣了也就不覺得怎麼樣了。

要知道，王泰是個不幸的孩子——床上躺著久病的爸爸，媽媽替人縫補，收入有限。王泰也是個好孩子，擦五雙，交給媽媽五塊，擦十雙，交給媽媽十塊。但是他可從未擦過十雙鞋呀！因爲他必得早早回去，還得做功課呢！他也不能像別的擦鞋小孩，掙來的錢全都隨手花掉，去吃擔仔麵呀，賭骰子呀，看電影呀。王泰連五毛錢一碗的紅豆湯都捨不得吃。比如說，他現在就夠餓的了！

桌上一塊吃剩下的排骨掉下來了，正落在王泰的腳旁，他好玩的用腳把排骨踢了個翻身，「上面還有肉呢！」他心想著再把排骨踢出去，正好被跑進來覓食的小狗叼走了。

小姐吃得很熱了吧，她把大衣脫下來，搭在椅背上，跟著滑下來一點兒什麼，又是骨頭？王泰伸出腳又要踢時才發現，他的心跳了，那是一疊——啊，鈔票！他立刻一腳給踩住了，然後很快地想，下一步該怎麼辦？任何人這時都不免要猶豫一下吧？在這世界上，人們所最需要而最缺少的都是它！對於一個擦鞋小孩的家庭環境來說，王泰腳下所踩住的，一定可以派許多用場。不過我說過，王泰是個好孩子，好孩子是要包括許多方面的，王泰雖有急智把那疊鈔票踩在腳下，卻沒勇氣決定它的去留，所以他竟停住了工作在猶豫。

但是似乎來不及給他更長的時間考慮了，當他停止了擦擦擀的時候，林先生已經把腳縮回去，同時扔給他一塊錢，然後摟著女朋友飄然而去。

王泰愣了一剎那，終於挪開了腳，迅速地拾起鈔票來放進褲袋裡，他出了大吉祥，朝著回家的路上走。在無人的牆角邊，他的心別別地跳著，掏出錢來數：整整一百塊！「怎麼不可以呢，又不是偷來的！」他持著這唯一的理由安慰自己。

一百塊！要擦一百雙鞋！他要工作二十天才能賺來，下星期就要考試了，他可以把錢交給媽媽，藉此休息幾天。媽媽不會責備他的，撿來的嘛，並不是偷來的呀！而且媽媽可以給爸爸買隻雞吃，或者再買盒藥針也足夠了，還可以……有許多用處，有許多許多用處……

鈔票被王泰捏暖和了，不知什麼時候走到了家。

對於王泰的早歸，母親從沒有表示驚奇，早早晚晚原是常有的事。倒是王泰自己像是做了什麼虧心事似的，溜進了小屋，坐在桌前直盤算，怎麼向母親說明這一百塊的來歷呢？母親雖然不會責備他，也得信任他才行。「撿來的？」母親看到了會又驚又喜嗎？

一直到吃過了晚飯，王泰還在飯桌前愣著，看母親收拾了碗筷，廚房裡響起了洗碗盤的聲音，他都沒有遇到一個更合適的機會把錢交給母親。這也得要勇氣的麼？他站起來走向廚房。

他的雙手插在褲袋裡，左手握著厚厚的一百塊，右手握著軟軟的三張一塊錢的爛票子，站在母親的面前，他先把三張爛票掏出來：

「媽，給您。」

做爲一個母親的這個中年婦人，對於孩子每天在半工半讀之下所賺來的錢，未嘗不感覺到無限的辛酸，可是她從來沒有把這種意念表現出來，她總是很愉快，也很受之無愧的樣子把錢接過來。這種時代，這種生活，這種家庭，她知道該使孩子受到一些什麼樣的訓練。

「媽。」王泰預備要伸出握住一百塊的左手了。

「沒關係，三塊錢也不少呀，夠一天的菜錢哪！」母親用安慰的口吻說。「我知道你要考試了早回來，快去念書吧！」

這樣，王泰似乎沒有機會拿出來了，他衹好快快地離開廚房去準備做功課了。

在不知過了多久的時候，院子裡忽然起了一陣騷動，劈劈撲撲，是院子裡的煤筐之類被碰翻倒的聲音，母親和同院住的張大嬸在嘻嘻哈哈地追著什麼。

「捉住了，捉住了！」是母親的聲音。
「是哪家飛來的大母雞啊！」
接著是母親和張大嬸在討論是誰家的雞，怎麼會飛過來的，最後母親判斷是紅磚牆鄰家的。
「我來幫你現在就把牠宰了。」張大嬸說。
「啊，怎麼可以，是人家的雞啊！」母親好像很驚奇於張大嬸的話。
「怎麼不可以，又不是偷來的！」
又不是偷來的！張大嬸這句話觸動了王泰，他不由得走到窗前向外望去，媽媽手中正提著那隻大母雞，不住的搖頭。
「宰了給你們王先生補補也是好的呀！人家也不知道。」
對於張大嬸的慫恿，母親似乎一點都未爲之動心，她一邊向外走一邊對張大嬸說：「這樣宰了吃的話，雖然不是偷來的又和偷來的有什麼兩樣呢？」
看著母親的背影從街門外消失，王泰的左手從褲袋裡伸出來，他忽然覺得，褲袋裡的一百塊錢壓在他的大腿上，是這麼沉重，如果不想辦法處置，今晚他能安心地做功課嗎？
他回到桌前坐下，拿起筆來下意識地在練習簿上寫了許多一百的阿拉伯數字，又在每個圈圈裡寫了一個「偷」字，偷，偷，偷，母親剛說的，不是偷來的，又和偷的有什麼兩樣！

他覺得很後悔，也覺得很僥倖，如果他剛才把錢拿出來，母親該怎麼說！母親回來了，看她進屋來撣撣身上的土，好像輕鬆極了，這倒使王泰更覺得沉重了，他的左褲袋好像被幾百斤重的東西墜著，非立刻擺脫掉不可。

他看看桌上的小鬧鐘剛剛六點半，離散場還有半小時，他可以趕得上，趕得上去找到林先生和他的女朋友。把功課收拾好，王泰又背起了擦鞋箱。母親看見兒子向外走，不由得在後面喊：

「我不是跟你說三塊錢沒關係，也夠一天的菜錢了嗎？」

但是王泰已經跑遠了。

四十四年二月

白兔跳

嫂子從鄉下來了，帶著我的姪女美惠。

跟嫂子同時來的是家鄉每個人的近況，比如說，四姑家表妹的婚事，堂弟阿楨的媳婦怎麼跟婆婆不和，嫁到日本的堂姊就要返國省親，以及豬肥鴨瘦等等，我都覺得新鮮有趣，但其中最使我感覺興趣的，莫過於「白兔跳」這檔子事兒。談到「白兔跳」，衹怪我這台北人少見多怪！

是這樣：我們說來說去，終於把談話的焦點落在孩子們的身上，因爲她有五個，我有四個，關於九個孩子的生活起居是夠我們姑嫂二人嚼半天舌頭的。當話題從家庭轉到學校時，坐在一旁的美惠忽然發言了，她問我的大女兒：「美麗，你們學校有『白兔跳』嗎？」美麗搖搖頭。

「白兔跳」？這應當是幼稚園裡唱遊課上表演的，美麗已經在小學四年級了，當然不會再玩什麼「白兔跳」。這也難怪，美惠雖然和美麗同歲同級，但是在一個鄉村生長的孩子，論體質，我家美麗便要略遜一籌了，在美惠的眼裡，認爲美麗是幼稚園生的事，也是可能有的，所以我說：

「美惠，你忘了嗎？美麗和你一般大，在四年級了呢！就連咪咪也上二年級了，她們當然不來『白兔跳』了。」

美惠卻瞪大了眼睛，「大姑，我們學校六年級還要『白兔跳』哪！」

六年級也有「白兔跳」？那麼是我弄錯了，它不是一種唱遊節目，而是……噢，我回過頭來問我那讀初中二年級的大兒子：

「那麼，你在小學六年級的時候，國語念過一課叫『白兔跳』的嗎？」

小兒今年夏天因爲勤於游泳，在川端橋下多喝了兩口水，身上長出了幾條裡肌肉，他便以爲自己是男子漢了，有些地方便跟他爸爸一鼻孔出氣，所以他也像他爸爸，衹用兩個單字來答覆我愚蠢的問話：「笑話！」

我衹好對美惠說：「你表哥在六年級時也沒念過『白兔跳』。」

這一回美惠呵呵地笑了：「『白兔跳』不是念的！」

是我又錯了，那麼——那麼——「白兔跳」，不是唱歌，不是遊戲，不是課文，是個什麼東西呢？我納悶地問美惠：

「你說說看，『白兔跳』到底是怎麼回事兒？」

「是這樣的。」美惠從椅子上溜下來，蹲在榻榻米上，兩手抱著膝蓋，一跳一跳地。

啊，我明白了，「白兔跳」也者，祇是一種很簡單的動作，——蹲在地上，手抱膝蓋，一跳一跳。

我對嫂子說：「小孩子眞是有意思，蹲在地上跳兩跳，也這麼高興，唉！」於是我歎惜著，像我們這樣生過孩子的女人，長了滿肚皮肥油，不要說跳，就是蹲下去，也怪費勁兒的呢！嫂子這時忽然沉下了臉說：「小孩子就是身體靈便，也不能多跳呀，美惠和芳惠常常因爲『白兔跳』跳多了，走不了路，就這麼樣子的回家來。」

說著，嫂子也站起來表演啦，她彎下了腰，撅著後座兒，兩手支持著膝蓋，一步一蹭地走著，「喏，跳多了就這樣子，夜裡還要喊腿痛。」

我笑了，哈哈大笑，我對美惠說：「趕明兒個少跳幾下吧，姑娘家撅著屁股回家實在不像樣兒！」

「怎麼可以少跳？」美惠理直氣壯地喊著說。

「怎麼不可以？」鄉下孩子眞是氣兒粗，我拿出姑姑的威嚴來，「我問你，美惠，你到底能跳多少這種『白兔跳』？」

「怎麼曉得？」美惠的國語已經標準得會頂撞姑姑了。

「那麼，你在什麼地方跳它？」

「高年級在操場上，低年級在教室裡。」

「老師就不管你們？」

「老師當然管，他不叫停，我們要繼續跳。」

啊，這回我明白了，這是一種全校性的遊戲，雖然它不名爲「唱遊」什麼的，但仍有著遊戲或體育的性質。因此，我以一種恍然大悟的神情對美惠說：

「你們一星期上幾堂『白兔跳』？」

「上幾堂？不一定！」美惠原來靠躺在藤椅背上，一下子又坐直起來，「『白兔跳』又不是功課，怎麼叫上幾堂，姑姑你沒有明白！」

美惠這一說，嫂子也笑了，我眞是讓「白兔跳」給跳糊塗了。

「到底『白兔跳』在什麼時候舉行？」

「不聽話的時候，功課沒做的時候，上課不好好聽老師講書的時候，……」

「好了，美惠，你不用說了，我這回算明白了。」

「白兔跳」，一種沒有傷痕的體罰！

在禁止體罰的今天，如果有此等現象的話，我腦子裡忽然一轉念，那不難說出這是怎麼回事：「日本時代」的遺毒！

說起「日本時代」，立刻使我想起這四個字給我和嫂子間的一道鴻溝。要知道，嫂子是「高女」畢業的，光復的時候，連本鄉本土的台灣話都說不俐落，到今天居然能夠隨著哥哥的胡琴唱兩句「兒的父……」，我不能不說她進步的快速。但是，就別遇到使她回憶過去的事，無論如何，她對過去仍有一份依戀。所以，比如說到市政吧，當我們談到門前陽溝的污穢，沒有人管時，那麼她一定會說：「『日本時代』不是這樣的！」好像「日本時代」的種種好處是屬於她的光榮，而我呢，也總要爲今日的缺點掩飾一番，就好像光復後的樣樣壞處是屬於我的恥辱！因此，我早打定了主意，有一天要徹底的打擊一下嫂子的「日本時代」！

機會來了——我知道的，我的孩子們從來沒有受過什麼「白兔跳」的變相體罰，用「白兔跳」來懲罰孩子，無疑的，這是一批年齡稍長的教員，他們是「日本時代」留下的寶貝，他們仍依戀於「日本時代」的師尊制度，哼！還沒忘掉挨過什麼中村老師的兩巴掌呢！於是我以振振有詞和打擊對方的口氣先對嫂子說：

「這全是『日本時代』的遺毒！現在的老師不會這樣做的！」然後我問美惠：

「美惠，你的老師年紀很大了吧？」

「不，」小妞漫不經心地說，「他去年才師範畢業的。」

我好像嚥下了一隻蒼蠅！

我拿什麼來自圓其說呢？在慌忙中，我忽然想起兒子剛才那兩個萬能字，於是我先從鼻子裡哼了一聲，然後說：「笑話！」

這時嫂子起身告辭趕火車下鄉去，我一看孩子們，原來都下到院子裡的水泥地上，在美惠的指揮下，大練其「白兔跳」去了！

四十三年十月

雨

鐘敲四下了，該是珠珠放學回來的時候了，可是這時天空忽然陰霾四布，頃刻之間，小雨點變大雨點，密密地落下來。

我這時忽然想起，珠珠上學沒有帶雨衣和雨傘，怎麼辦？但接著又想，她會等到雨停，或者會借躲在同學的雨傘下，一道回來的。

但是雨越下越大了，好像沒有停止的意思，也沒有珠珠回家敲門的聲音。我再想，珠珠不會一個人待在教室裡等著我吧？想到這裡，我若有所感，「啊，一定要去接珠珠！」我心裡說著，立刻找出珠珠的雨衣和雨鞋，拿了一把雨傘，幾乎是奪門而出地向學校的路上跑，我希望我去的還不算太晚，還趕得上，不至使她一個人……像二十幾年前，我的童年時代的有一次吧？……

是快散學的時候了，忽然下起大雨來，同學們都不能安靜地聽老師講書了。雨更大了，雷聲隆隆，大家都把原來向著黑板的臉，轉向窗外，是希望雨停，也希望有家人來接。

這時窗口首先出現了一個同學的媽媽的影子，我不由得朝那同學望去，她也看見她的媽媽了，原來不安的臉上立刻顯出驚喜的笑容，向她的媽媽淘氣地擠了一下眼睛，然後安心地伏在桌上抄寫筆記。

陸續地，窗口出現了更多的影子，教室裡的同學也就有了更多的笑容。有的甚至像啞吧一樣，做著沒有聲音的姿態，張開嘴來向著窗外，表示他們在喊「媽」，爲的是怕老師聽見。

我呢？我也不斷向窗口望去，希望看見我的媽媽，如果看不見媽媽，也應當看見張媽。因爲在我上學來時，媽媽正在牌桌上，她也會打發張媽來接我的。

可是一直到下課鈴響了，仍然沒有她們——媽或者張媽的影子。同學都走光了，祇剩下我和沒有媽媽的小姍，守著窗口，呆呆地看著雨中的操場。一聲霹雷，我們倆緊摟著，嚇得要哭了，我說：

「小姍，誰會來接你？」

「爸爸會，但是……他也上班去了。你呢？」她反問我。我毫無把握，但也祇好說：

子。

「媽媽會來的，我們家很遠。」後一句是撒謊，我要掩飾，我怕丟媽媽的面

我倆不說話了。接著看操場，操場成了一片汪洋，我心想，再下去的話，得撐船才能過去了，我摟著小姍，心中生了恐懼。但從操場那邊眞的來了一條船，不，是一個人，一個跑著的男人，這時小姍離開我，喊道：「那是爸爸！」

可不是小姍的爸爸嗎？他雖打著傘，也都淋濕了，雨實在太大。

小姍的爸爸進教室後，先打開手中的小包兒，拿出還冒著熱氣的包子給小姍，並且給了我一個，他說：

「我在路上買的，還熱，吃了再走吧！」

我搖搖頭說：「謝謝伯伯，我一點兒也不餓。」

我的確不感覺餓，當希望變成失望的時候。小姍的爸爸又對我說：

「住在哪裡？我送你回去。」

我傷心又倔強地說：「不，媽媽會來的！」

一直到天黑了，並沒有媽媽的影子，也沒有雨停的樣子。我從書包裡拿出了筆記本，頂在頭上，冒著雨跑出去。經過李老師的住屋，他正倚在窗口，看見我驚異地喊：

「你還沒有走？」

我一直跑出去，不答理他，是因爲羞於說出我的家裡竟沒有一個人來接我。

我全身濕透了跑進家門，屋裡燈光輝煌，媽媽還在牌桌上，她見了我就罵：

「怎麼弄得這一身，還不快去廚房叫張媽給你換！」

我眞驚異又傷痛母親的態度，我原是想進門來先向媽媽生氣和訴苦，不想她先罵我……

「媽！媽！」

我還痴痴地回憶著，忽然聽見雨中穿過來熟稔的喊聲，我向路邊望去，啊，原來是我的珠珠縮在店鋪的廊簷下躲雨，她看來是這麼小，還搆不到店鋪的窗子。我急忙跑過去，看見她頭髮濕了，衣服濕了，小手冰涼的，雨水從頭上流下來，她見了我，眼裡含著淚水，卻高興地笑道：

「我知道媽媽會來的！」

「媽媽會來的！」我應和著，一面給她穿上那件粉紅色的玻璃雨衣。

四十二年十一月

媽媽說，不行！

媽媽說：「不行！」她說這樣不行，那樣不行。

早上哥哥和姊姊上學去，我說我也要去，媽媽說：「不行，你還小。」我說：「那麼我幫著你煮飯吧！」媽媽說：「不行，我不要你搗亂。」

我這裡看看，那裡看看，什麼事兒也沒有，打開哥哥的抽屜，拿出他的蠟筆和紙，學哥哥畫一架飛機。畫得好開心，媽媽來了，她搶過我的筆和紙，把眼睛瞪得好大：「不行呀不行，這是哥哥的東西，告訴過你不要動！」我說：「那我做什麼呢？」媽媽說：「做什麼都行，就是動哥哥的東西不行。」我說：「那我吃塊糖吧？」媽媽說：「不行，你剛吃完飯。」我說：「那給我一毛錢吧？」媽媽問：「要一毛錢做什麼？」我說：「找陳家弟弟抽彩去！」媽媽說：「可不行呀，那是賭博。」

我沒辦法，穿上板板，到院子裡走走，看見樹底下一張報紙，旁邊有一盒火柴，是爸爸早晨在這裡抽菸看報來著。我劃一根火柴，把報紙點著了，好大火，我心裡一著急，想小——姊姊說幼稚園裡要撒尿就說「小」，我學著爸爸的樣子，站在樹底下向著著火的報紙小了一次。媽媽從窗子裡一伸頭說：「了不得，你要放火呀，怎麼行？在這裡撒尿也很臭的。」我說：「爸爸常這樣，怎麼行？」媽媽說：「他是爸爸，是大人，你不要頂嘴，乖乖的坐著曬太陽。」

搬個小竹凳，我乖乖坐在那兒曬太陽，曬呀曬的，好暖和，我就唱起歌來，唱一個「阿里山的姑娘」，再唱一個「寶貝大台灣」，還有「包餃子兒」，「戚里戚里戚，阿利蚌蚌……」唱著唱著媽直喊我：「別蚌蚌啦，吵死人！」我說：「嫌吵，我去找蔡清清玩吧！」媽媽說：「不行，清清太髒。」我說：「那我找袁小胖吧？」「也不行，小胖太野。」「那，找楊佳佳吧，他們家很清潔，還有大汽車。」媽媽說：「人家有錢的會嫌你髒啦！」這麼著，我什麼地方都不許去，不許吃，不許唱，也不許小。我覺得很沒有意思，就到廚房去，擰開水龍頭，沖一沖頭髮，像理髮館一樣的，好清爽。可是水流到脖子裡了，冰涼！又聽見媽媽喊了：「哎喲，不行呀，怎麼淘成這樣子！」

媽媽正喊著，朱媽媽來了，朱媽媽說：「怎麼樣，主席，開會吧？」媽媽笑笑說：「三缺一呀，不行！」朱媽媽掏出一毛錢給我，說：「好乖，寶貝，喏，拿去買糖吃，先到隔壁請王媽媽來開會。」我看看媽媽，不敢接那一毛錢，媽媽很高興的樣子對我說：「拿著吧，也不說謝謝。」我接過錢，說：「謝謝朱媽媽。」朱媽媽對媽媽說：「咳，還是你的兒童教育好。」

王媽媽來了，她說：「先說下，我今天就能衛生八圈呀！」媽媽她們一塊兒說：「誰不是！」我問媽媽：「是不是要賭博？」媽媽說：「呸！這樣說不行。」

我站在媽媽旁邊兒玩籌碼，媽媽說：「去吧！」我說：「哪兒去？」媽媽說：「你不是要找蔡清清玩嗎？」我說：「啊——還有袁小胖。」媽媽說：「去吧！去吧！」走到門口，我又問：「朱媽媽給我的一毛錢，可不可以抽彩？」媽媽說：「去吧！去吧！去吧！」

玩到天黑我回家，媽媽說：「小搗亂，誰叫你回來的？」我說：「看看你們的衛生八圈完了沒有。」朱媽媽說：「我們現在戰鬥晚會了，因爲你王媽媽掉下去了。」我嚇一跳：「掉到哪兒去了？」媽媽們哈哈大笑，祇有王媽媽不肯笑，而且還把嘴唇使勁包起她的牙，可是她的牙很長，又向外翻，怎麼也包不嚴。我看了很不喜歡，說：「王媽媽賭博的時候，牙齒很難看……。」我還沒說，媽媽就插嘴：「什麼！這樣亂說不行，沒規矩！回頭跟你算總賬。嘿，你也不管管！」後來那句是衝著爸爸說的。

爸爸很沒意思的樣子——就是他常常說「無聊」的時候那種樣子，坐在藤椅上，兩腳搭在書桌上，吸著一根新樂園，直往屋頂上吐圈圈，聽媽媽生氣，他倒笑了，他喊我：「兒子！」我答應：「噯！」他說：「過來。」我走過去，他把我一把抱在他的大腿上，附在我耳朵輕輕說：「這樣隨便說話是不行的。」我說：「咦？爸爸你也說不行。」爸爸扮一個鬼臉，頭一低要親親我，我把他的頭一推，說：「不行，鬍子！」爸爸把嘴一啰，下巴一仰，說：「喏，看，剛刮的！」我一看青幫幫的，才放心。

客人打完牌走了，媽媽還翻著白眼兒，掐著手指細細算。爸爸說：「算什麼，一篇糊塗賬！」媽媽聽了，白眼兒翻下來，黑眼兒翻上去：「怎麼，我輸錢，你痛快了！」接著，她又跟我算賬：「今天到哪兒去了，你？」我先把手裡的笛子吹一下給媽媽聽，然後說：「今天抽得的大彩。」可是她說：「又去抽彩，學不出好來，下回可不行啦！」我使勁點點頭。

要睡覺了，哥哥說：「明天每人要捐一塊救災。」媽媽說：「不行，沒那些閒錢打發，誰捐點兒給我！」大家覺得很「無聊」——爸爸常說的，就統統上床睡覺了。媽媽閉上眼又睜開來，她很要緊地說：「記住，明天早上……」

我們三個一聽一齊爬出了被窩，哥哥說：「是不是燒餅油條！」姐姐說：「夾餡麵包！」我說：「烤蕃薯！」媽媽沒理我們，她接著說：「記住，明天早上，誰吵了我的早覺可不行！」

四十二年三月

媽媽說，不行！

竊讀記

轉過街角，看見三陽春的沖天招牌，聞見炒菜的香味，聽見鍋杓敲打的聲音，我鬆了一口氣，放慢了腳步。下課從學校急急趕到這裡，身上已經汗涔涔地，總算達到目的地——目的可不是三陽春，而是緊鄰它的一家書店。

我乘著慢步給腦子一個思索的機會：「昨天讀到什麼地方了？那女孩不知最後嫁給誰？那本書放在哪裡？左角第三排不錯。……」走到三陽春的門口，便可以看見書店裡仍像往日樣的擠滿了顧客，我可以安心了。但是我又擔憂那本書會不會賣光了？因爲一連幾天都看見有人買，昨天好像祇剩下一兩本了。

我跨進書店門，暗喜沒人注意，我踮起腳尖，使矮小的身體挨蹭過別的顧客和書櫃的夾縫，從大人的腋下鑽過去，喲，把短髮弄亂了，沒關係，我到底擠到裡邊來了。在一片花綠封面的排列隊裡，我的眼睛過於急忙地尋找，反而看不到那本書的所在，從頭來，再數一遍，啊！它在這裡，原來不是在昨天那位置了。

我慶幸它居然沒有被賣出去，仍四平八穩地躺在書架上，專候我的光臨。我多麼高興，又多麼渴望地伸手去拿，但和我的手同時抵達的，還有一隻巨掌，五個手指大大地分開來，壓住了那本書的整個：

「你到底買不買？」

聲音不算小，驚動了其他顧客，全部回過頭來，面向著我。我像一個被捉到的小偷，羞慚而尷尬，漲紅了臉。我抬起頭，難堪地望著他——那書店的老闆，他威風凜凜地俯視著我。店是他的，他有全部的理由用這種聲氣對待我。我用幾乎要哭出來的聲音，悲憤地反抗了一句：

「看看都不行嗎？」其實我的聲音是多麼軟弱無力！

在眾目睽睽之下，我幾乎是狼狽地跨出了店門，腳跟後面緊跟著是老闆的冷笑：「不是一回了！」不是一回了？那口氣對我還算是寬容的，彷彿我是一個不可以再原諒的慣賊。但我是偷竊了什麼嗎？我不過是一個無力購買，而又渴望讀到那本書的窮學生！

曾經有一天，我偶然走過書店的窗前，窗裡剛好擺了幾本慕名很久而無緣一讀的名著，欲望推動著我，不由得走進書店，想打聽一下它的價錢。也許是我太矮小了，不引人注意，竟沒有人過來招呼，我就隨便翻開一本擺在長桌上的書，慢慢讀下去，讀了一會兒仍沒有人理會，而書中的故事已使我全神貫注，捨不得放下了。直到好大工夫，才過來一位店員，我趕忙闔起書來遞給他看，像煞有介事地問他價錢，我明知道，任何便宜價錢對於我都是枉然的，我絕沒有多餘的錢去買。

但是自此以後，我得了一條不費一文讀書的門徑，下課後急忙趕到這條「文化街」，這裡書店林立，使我有更多的機會。

一頁、兩頁，我如饑餓的瘦狼，貪婪地吞讀下去，我很快樂、也懼怕這種竊讀的滋味！有時一本書我要分別到幾家書店去讀完，比如當我覺得當時的環境已不適宜我再在這家書店站下去的話，我便要知趣地放下書，若無其事地走出去，然後再走入另一家。

我希望到顧客正多著的書店，就是因爲那樣可以把矮小的我擠進去，而不致被人注意。偶然進來看看閒書的人雖然很多，但是像我這樣常常光顧而從不買一本的，實在沒有。因此我要把自己隱藏起來，眞是像個小偷似的。有時我貼在一個大人的身邊，彷彿我是與他同來的小妹妹或者女兒。

最令人開心的還是下雨天，感謝雨水的灌溉，越是傾盆大雨我越高興，因爲那時我便有充足的理由在書店沐下去。好像躲雨人偶然避雨到人家的屋簷下，你總不好意思趕走吧？我有時還要裝著皺起眉頭不時望著街心，好像說：「這雨，害得我回不去了。」其實，我的心裡是怎樣高興地喊著：「再大些！再大些！」

但我也不是個讀書能夠廢寢忘食的人，當三陽春正上座，飄來一陣陣炒菜香時，我也餓得饑腸轆轆，那時我也不免要做個白日夢：如果袋中有錢夠多麼好！到三陽春吃碗熱熱的排骨大麵，回來這裡已經有人給擺上一張彈簧沙發，坐上去舒舒服服地接著看。我的腿眞夠瘦了，交替著用一條腿支持另一條，有時忘形地撅著屁股依賴在書櫃旁，以求暫時的休息。明明知道回家還有一段路程好走，可是求知的慾望這麼迫切，使我捨不得放棄任何可捉住的竊讀機會。

爲了解決肚子的饑餓，我又想出一個好辦法，臨來時買上兩個銅板（兩個銅板或許有）的花生米放在制服口袋裡。當智慧之田豐收，而胃袋求救的時候，我便從口袋裡掏出花生米來救急。要注意的是花生皮必須留在口袋裡，回到家把口袋翻過來，細碎的花生皮便像雪花般的飛落下來。

但在這次屈辱之後，我的小心靈的確受了創傷，我的因貧苦而引起的自卑感再次地犯發，而且產生了對人類的仇恨。有一次剛好讀到一首眞像爲我寫照的小詩時，更增加了我的悲憤，那小詩是一個外國女詩人的手筆，我曾抄錄下來，貼在床前，傷心地一遍遍讀著，小詩說：

我看見一個眼睛充滿熱烈希望的小孩，
在書攤上翻開一本書來，
讀時好似想一口氣念完。
開書攤的人看見這樣，
我看見他很快地向小孩招呼：
「你從來沒有買過書，
所以請你不要在這裡看書。」
小孩慢慢地踱著歎口氣，
他真希望自己從來沒有認過字母，
他就不會看這老東西的書了。
窮人有好多苦痛，
富的永遠沒有嘗過。
我不久又看見一個小孩，
他臉上老是有菜色，
那天最少是沒有吃過東西——
他對著酒店的凍肉用眼睛去享受。

我想著這個小孩的情形必定更苦，
這麼餓著，想著，這樣一個便士也沒有。
對著烹得精美的好肉空望，
他免不了希望他生來沒有學會吃東西。

我不再去書店，許多次我經過文化街都狠心咬牙的走過去。但一次、兩次，我下意識地走向那條熟悉的街，終於有一天，求知的慾望迫使我再度的停下來，我仍願一試，因爲一本新書的出版廣告，我從報上知道好多天了。

我再施慣技，又把自己藏在書店的一角。當我翻開第一頁時，心中不禁輕輕呼道：「啊！終於和你相見！」這是一本暢銷的書，那麼厚厚的一冊，拿在手裡，看在眼裡，都夠分量！受了前次的教訓，我更小心地不敢貪懶，多串幾家書店更妥當些，免得再遭遇到前次的難堪。

每次從書店出來，我都像喝醉了酒似的，腦子被書中的人物所擾，踉踉蹌蹌，走路失去控制的能力。「明天早些來，可以全部看完了」，我告訴自己。想到明天仍可以占有書店的一角時，被快樂激動得忘形之軀，便險些撞到樹幹上去。

可是明天走過幾家書店都看不見那本書時，像在手中正看得起勁的書被人搶去一樣，我暗暗焦急，並且詛咒地想：皆因沒有錢，我不能占有讀書的全部快樂，世上有錢的人這樣多，他們把書買光了。

我慘淡無神地提著書包，抱著絕望的心情走進最末一家書店，昨天在這裡看書時，已經剩下最後的一冊，可不是，看見書架上那本書的位置換了另外的書，心整個沉了下來。

正在這時，一個耳朵架著鉛筆的店員走了過來，看那樣子是來招呼我的（我多麼怕受人招待！）我慌忙把眼睛送上了書架，裝作沒看見。但是一本書觸著我的胳膊，輕輕地送到我的面前：

「請看吧，我多留了一天沒有賣。」

啊，我接過書害羞的不知應當如何對他表示我的感激，他卻若無其事地走開了。衝動的情感，使我的眼光久久不能集中在書本的黑字上。

當書店裡的日光燈忽的亮了起來，我才覺出站在這裡讀了兩個鐘點了。我闔上最後一頁——嚥了一口唾沫，好像所有的智慧都被我吞食下去了。然後抬頭找尋那耳朵上架著鉛筆的人，好交還他這本書。在遠遠的櫃台旁，他向我輕輕地點點頭，表示他已經知道我看完了，我默默地把書放回書架上。

我低著頭走出去，黑色多皺的布裙被風吹開來，像一把支不開的破傘，可是我混身都鬆快了。摸摸口袋裡是一包忘記吃的花生米，我拿一粒花生送進嘴裡，忽然想起有一次國文先生鼓勵我們用功的話：

「記住，你是吃飯長大；也是讀書長大的！」

但是今天我發現這句話還不夠用，它應當這麼說：

「記住，你是吃飯長大；讀書長大；也是在愛裡長大的！」

四十一年八月

謝謝你，小姑娘！

除夕日的下午，母親把我叫到廚房，用商量的口吻對我說：「愛官，再去姑媽家一趟吧！」

「菜不是都買了嗎？」我聞見灶上的紅燒肉香，紗櫥裡也好像碗碗盤盤有了幾樣菜。

自從父親死後，便靠母親十指縫綴養活一家人，粗茶淡飯已經很勉強，可是到了年節，母親卻不肯將就，總要四盤八碗的擺上去，先供父親，然後撤下來回鍋熱熱，我們一年祇吃這樣一次比較豐美的年夜飯，還要母親多方操心。這一年，我記得母親是先派二姊到堂叔家借的錢對付買了年菜，現在又派我去姑媽家，當然除了借錢不會有更好的差事。我們平日事事順從母親的心，唯有提到上闊親戚家，姊妹們便你推我躲，不肯上前。

母親又溫柔地向我說：「傻丫頭，還有明天呢，從你二叔那兒借來的二十塊，剛夠買些菜，明天開了門打發這打賞那的，事也可多哪！去吧，愛官！」

聽到媽末一句話的聲音，總不忍違背了她，不得已拖著沉重的腳步到姑媽家去走一趟。進了姑媽家的門，祇見老媽子、聽差穿梭似地忙，我打開堂屋的門，一股熱氣撲面，看見桌上椅上擺滿了禮品，表妹見我來了頭也懶得抬。姑媽正扯開了嗓門罵傭人，她沒有看見我，我輕輕地喊了聲：「姑媽！」她沒聽見，我待在那兒好難受。老半天，姑媽才認清了我，她說：「喲，愛官你什麼時候進來的？這群沒用的老媽子……」接著她跟我開了河，她說這樣漲那樣貴，買這買那花了多少錢，全是她的闊事，我嘴裡唯唯稱是，心裡卻盤算著怎麼開口向她借錢，臨來時母親教了我一大套好聽的話，全用不上了。後來姑媽說夠了，才想起來：「你媽你姊姊都好哇？我還要叫她給我織件毛衣呢！」

好不容易抓住這個機會，我這才趕緊接上話：「我媽好，讓您惦記，我媽說：……」姑媽一聽是借錢，就不像剛才那麼高興了，她雖還是笑，笑得怎麼也不自然了。她先向表妹說：「去，看你爸爸那兒有零錢沒有？我這兒沒有了。」表妹坐在那兒扭一扭腰，表示不高興去。姑媽沒辦法，往腰裡掏，掏，掏，掏出一張十塊錢的票子來，晃了好幾晃才遞到我手裡。接著她又足足教訓了我一頓，她說什麼要好好用功，才對得起你死去的爹；又說什麼要省吃省穿，錢來得不容易，還有什麼別學壞，別亂跑，別貪玩等等，我連聲答應著，我知道一個窮親戚向闊親戚借錢的滋味，我知道該怎麼低聲下氣。屋裡暖氣開放得太高，媽媽臨來時又給我加上一件當大衣穿的棉袍，我熱得漲紅了臉，耳根都發燒了，這時姑丈從裡屋噴足了菸走出來，他對姑媽說：「讓愛官回去吧，不早了，她媽回頭惦記她。」我如釋重負，站起來就往外跑，一股涼氣迎臉打來，我舒服多了。

天黑下來，鵝毛雪下著，我的手插在口袋裡，緊緊捏著那張票子，怕失落了似的。我淒涼孤獨地走著，腦子裡充滿了剛才姑媽家裡的情景，那些禮物，那暖洋洋的堂屋，表妹那副嘴臉，姑媽的訓詞……忽然我覺得頭有些暈，喉嚨也癢起來，是從暖室裡猛一出來，吹了冷風的緣故，我靠在街旁一根電線杆子休息了一會兒。對面亮煌煌地是一家糖果店吧？祇見裡面人影幢幢，該有不少辦年貨的人。

我走過街，想在這店裡買兩個梨潤潤我的喉嚨，順便給姊姊們帶些糖果回去，我手裡畢竟有了十塊錢，我使勁地捏了一下，它還在。一進店，我低下頭向玻璃櫥裡找標價最便宜的糖果。我的身旁站著一個穿藍布長衫的人，他的衣服正好遮住了半個櫃，我抬起頭來看他，是一個戴著玳瑁邊近視眼鏡的又瘦又高的男人，他正拿著一罐奶粉問價錢，我想站一會兒等他買完再說，我連請人「借光讓一下」都不敢說。

這時我見那男人從大褂的襟上取下自來水筆，對老闆說：「我今天剛好沒有錢了，這鋼筆先押在這裡，明天再拿錢來取可以吧？」那老闆兩手交插在袖籠裡，面目無表情地搖了搖頭。那男人又說：「可以吧，老闆，明天我一定拿錢來，小孩子夜裡沒有奶吃了。」我的乾喉嚨裡嚥了一口唾沫，等著老闆的答覆，誰知正好照在電燈下的老闆的光葫蘆頭，又搖了幾搖。那男人把奶粉罐放下，歎了一口氣出去了。

我不知怎麼也跟了出去，昏沉沉的腦袋裡想著他那句話：「小孩子夜裡沒有奶吃了」。夜裡沒奶吃了，夜裡沒有奶吃了……我忽然停住了腳，喊道：「先生！先生！」隨著我把捏在手中拿的鈔票扔在腳底下。那男人回過身來，我指著地下的鈔票說：「您的錢掉了！」他猶豫了一下，張開了嘴，可沒說話，彎下腰撿起那張鈔票——那張還帶著我的體溫。隨後他說：「謝謝你，小姑娘。」我們兩個人表演得都夠逼眞。

我害羞似地跑走了，回頭看那頎長的影子還愣在那裡。這時遠遠近近的除夕的爆仗聲開始乒乒乓乓響了起來，我想我該快些跑回去了，母親還等著我吃年夜飯哪！

四十一年一月

第四輯

母親的祕密

忽然使我攤開稿紙的動機，是由於隔壁新搬來的一對新婚夫婦而觸發的。

一個月前，他們結婚了。脫下結婚禮服，緊跟著便是雙雙南下，做一次甜蜜的新婚旅行。從日月潭回來後，行裝甫卸，女的單獨出去了，黃昏歸來，她的身旁多了兩名小女孩。至此，我才知道，他是初婚，她是再嫁。

我們的國度雖然允許女人再嫁，但對於這樣的家庭組織，仍不免要投以新奇的眼光。鄰居都在注意這一家四口的生活方式，他們的每一動態都足以使鄰居們交頭接耳，細加分析。難道說大家不願意這家人生活得更幸福，而非要幸災樂禍地看些熱鬧嗎？但事實確是如此。不愉快的事情漸漸發生了，木屋短牆，總是逃不過人們的耳目。

大概說來，是因爲女的過分愛護前夫的兒女，而男的卻不習慣於新婚的家庭中多了兩個小人物。

旁觀者的觀點不同；有人說男的氣量小，有人說女的自尋苦惱，也有人心疼孩兒無辜。我靜聽各人的理論，不知應當投向哪方，但在無言的靜默中，我卻想起了母親。……

父親因急病死於逆旅，母親在二十八歲便做了寡婦。當母親趕去青島辦了喪事回來後，外祖母也從天津趕了來，她見了母親第一句話便說：

「收拾收拾，帶了孩子回天津家裡去住吧！」

母親雖然痛哭著撲向外祖母的懷裡，卻一邊搖著頭說：

「不，我們就這麼過著，只當他還沒有回來一樣的吧！」

原來父親是一年前離家到青島謀事的。他在青島住了一年，認爲那裡的環境還不錯，便有久居之意，決定接母親、弟弟和我前去，而母親也決定辭去圖書館的職務。便在這時，傳來父親猝死的壞消息。

母親既然決定帶我和弟弟留在北平，外祖母也祇好失望地回了天津，但她也欣慰有這麼一個能將理智克服感情的女兒——我的母親，她彷彿是從一陣狂風中回來，風住了，拍拍身上的塵土。我們的生活，很快地，在她的節哀之下，恢復了正常。我能捉住一些回憶，因爲當時我已經九歲了。

我們很習慣於那種生活，並沒有感覺到家中失去了一個重要的人。

白天，我們的家交給老王媽；下午我和弟弟先從學校回來，洗手，吃點心，坐在門口等媽媽。在黃昏的朦朧中，母親轉進了胡同，看見我們，一揚手，一斜頭，我們立刻從小凳子上跳起來，迎著母親跑去。在她的手中，總少不了有一包糖，或者一本畫冊。

晚上的燈下，我們並沒有因爲失去父親而感到寂寞或空虛，因爲這樣的日子，在父親到青島以後，我們已經過了一年多。

母親沒有變，碰到弟弟頑皮時，她還是那麼斜起頭，鼓著嘴，裝著生氣的樣子對弟弟說：「要是你爸爸在，一定會打手心的！」就像以前她常說的「要是你爸爸回來，一定會打手心」時，一模一樣。

因此，在那平靜的生活裡我的小心靈中，一直存著一個模模糊糊的感覺：爸爸是到遠方去了，他不久會回來。這種感覺是可敬愛的母親所造成的，她從沒有表現出一副可憐的寡婦相，她灌注於我們心頭的，是一個完整而安全的生活，沒有因失去其中的一環而顯得無法銜接。

當然，長夜漫漫，我又怎能知道母親不會在寂寞中感於身世的悲涼而飲泣呢！

就這樣，三年過去了，像是沒有夢的安睡，極平靜，極愉快。

三年後的一個春天，我們家裡來了一個客人，普普通通，像其他的客人一樣。

母親客氣地、親切地招待著他，這是母親一向的性格，這種性格也是因爲往日父親好客所影響的。更何況這位被我們稱爲「韓叔」的客人，本是父親大學時代的同學，又是母親中學時代的學長。有了這兩重關係，韓叔跟我們也確比別的客人更熟悉些。

他是從遠方回來的，得悉父親故去的消息，特趕來探望我們。不久，他調職北平，我們有更多的交往。這種坦白的交往，也像其他被我們稱做叔叔、姑姑們一樣。

韓叔還是個獨身的男子，但是卻從來沒使我們連想到他和我們在友誼以外的事。也許我太小，頭腦簡單到還不配連想到其他？不過，這時我正準備投考中學，紅樓夢也已經讀得通了，我並不算「太小」。是由於一次偶然的發現，給了我一些極深的影響。

夏夜燥熱，我被鑽進蚊帳的蚊蟲所襲擾，醒來了。這時我聽見了什麼聲音，揉開睡眼，隔著紗帳向外看去。我被那暗黃燈下的兩個人影嚇愣住了，我屏息著。

我看見是母親在抽泣，彎過手臂來摟著母親的是——韓叔！母親在抑制不住的哭聲中，斷續地說著：

「不，我有孩子，我不願再……」

「是怕我待孩子不好麼？」是韓叔的聲音。

過了一會兒，母親停止了哭聲，她從韓叔的臂彎裡躲出來：

「不，我想過許久了，你還是另外……」這次，母親的話中沒有哭聲。

被這一幕偶然的發現所驚嚇，我說不出當時的心情是怎樣，是恐懼？是厭惡？是憂傷？都有的。這是從來沒有過的情緒，它使我久久不眠，我在孩提時代，第一次嘗到失眠的痛苦。

我輕輕地轉身向著牆，在恐懼、厭惡、憂傷的情緒交織下，靜聽母親把韓叔送走，回來，脫衣、熄燈、上床、飲泣。最後我也在枕上留下一片潮濕，才不安地進入夢鄉。

第二天早上我醒來時，看見對面床上的母親，竟意外地遲遲未起，她臉向裡對我說：

「小荷，媽媽頭疼，你從抽屜裡拿錢，帶弟弟去買燒餅吃罷！」

我沒有回答，在昨夜的那些複雜的心情上，彷彿又加了一層莫名的憤怒。

我記得那一整天上課我都沒有注意聽講，昨夜的一幕一直在我腦中盤旋，我似乎懂得些什麼了，又似乎不懂。我仔細研究母親昨夜的話，先是覺得很安心，過後又被一陣恐懼所騷擾，那是母親有被韓叔奪去的危險，我雖然知道韓叔是好人，可是仍有一種除了父親以外，不應當有人闖進我們的生活的感覺。——我在為死去的父親嫉妒！無論如何，我還是不能原諒母親，好像她做了什麼壞事；好像她是一個丟棄小孩的罪人。

放學回家，我第一眼注意到母親的神情，她如往日一樣照管我們，這使我的憤怒稍減，我雖未外形於色，但心裡卻不斷地在轉變，忽喜、忽怒、忽憂、忽慰，如一鍋滾開的水，冒著無數的水泡。當日的心情是如此可憐可笑！

母親和韓叔的事情，好像隨時都有爆發的可能，這件心事常使我夜半在惡夢中驚醒，在黑暗中，我害怕地顫聲喊著：「媽！」聽她在深睡中夢囈般地答應，才使我放心了。我怕的是有一天夜半醒來，對面床上會不會失去了從沒有離開過我的人！

其實，一切都是多慮的。我像鬼一樣的，從母親的行動、言語、神色中去搜尋可怕的證據，卻從沒有發現。就像從來沒有發生過什麼事情，母親是如此寧靜！

一直到兩個月以後，韓叔離開北平，他是被調回上海去了。再過半年，傳來一個喜訊，韓叔要結婚了！母親把那張粉紅色的喜帖拿給我看，並且問我：「小荷，咱們送什麼禮給韓叔呢！」

這時，一種久被箍緊的心一下子鬆弛了的愉快，和許久以來不原諒母親的歉疚，兩種突發的感覺揉在一起，我要哭了！我跑回房裡，先抹去流下的淚水，然後拉開抽屜，拿出母親給我們儲蓄的銀行存摺，送到母親的面前，我大聲的笑——笑得失態了，但是我實在禁不住情感的迸發，我的笑，並不全代表快樂，和那夜的意思一樣，是頂複雜的。

母親對於我的舉動莫名其妙，她接過存摺，用懷疑的眼光看我，我快樂的說：

「媽，把存摺上的錢，全部取出來給韓叔買禮物吧！」

「傻孩子！」母親也大笑，她柔軟的手捏捏我的嘴巴。她不會了解她的女兒啊！

這是十五年前的往事了，從那時以後，我們一直依賴著母親過活，很平淡，很寧靜，也很安全地度過了許多年。間或我們也聽到一些關於韓叔的消息，我留神母親的情態，她安詳極了，那種無動於衷的平淡，就像聽到不相干的朋友的消息一樣。

我和弟弟能使母親享受到承歡膝下的快樂，她的老朋友們都羨慕母親有一對好兒女，母親也樂於承認這一點。唯有我自己知道，我們能夠在完整無缺的母愛中成長，是靠了母親曾經犧牲過一些什麼才得到的啊！如果有人說我們姊弟是孝順的兒女，我應當說，我們的孝，實由於母親的愛。

去年冬天，母親以癌症不治，死於淡水之濱，當我們痛於人力挽不過天命時，母親卻很鎮靜，她靠在我的肩上，拉著弟弟的手說：「不必多費人力了，有你們倆，我死並無憾！」她是安靜地死在兒子的懷裡。

四十三年十一月

繼父心

我和聯芳的結合是極自然而且帶些傳奇意味的。

聯芳的前夫克儉是比我高三期的飛行員，在一次不幸的飛行之後，他沒有回來。年輕的聯芳做了寡婦，他們之間已經有了兩個孩子。

在克儉出事的那天，本來應當我做他的助手，誰知在起飛命令到達前一小時，我得了急症被送入醫院了。不幸的消息傳來時，我還在昏迷的病態中。

睜開眼來，白衣小姐趕快把這消息告訴我，在她是好意，慶幸我的急症竟保全了性命。但是在一個軍人看來，這不過是在百十次可能的死亡中，偶然逃過的一次罷了，沒有什麼值得慶幸的。不過在復原的日子裡，克儉的音容卻時常盤繞在我的腦海。

克儉是個灑脫、熱情、快樂的人，在空軍男兒中，並不乏這種性格的人物。但是克儉卻另有更使我欽佩的好學精神，我有許多次跟他合作，每次他都以長兄的態度，給了我不少寶貴的指示。

我也想到他的身後問題。空軍太太們感到的最大精神威脅，便是常常擔心她們的丈夫會一飛不回，我雖無家室，但是也能體會出家人死別的苦楚。平時我和克儉的太太聯芳，見面的次數並不多，但在病中，我已打定了主意，等身體復原後，要去克儉家做一次慰問，以盡友情。

「您要堅強地活下去，大嫂！」

在熱喪中哭泣的年輕寡婦，是使人不忍睹的。當我對聯芳說明我是什麼人時，她一下子就搗著臉哭起來。她可能想到，爲什麼站在面前的這個男人就這麼幸運，而她的丈夫的生命就該被奪去呢！

讓她放聲地哭個痛快吧！我拉過站在她身邊嚇傻了的兩個孩子，撫摸著他們的小手。擺在面前的情景，不能說不淒涼，所以我在聯芳哭泣後抬起頭來的時候，只能這麼勸了她一句。

她望著兩個小孩子，還嗚咽著：「謝謝你的關心，我怎麼能不堅強地活下去！」

向她告別的時候，她說：「希望你常來玩。」

以後，我確是常常去，一種微妙的關係，使我時常想到這個家庭，彷彿那次逃出死亡，對不起克儉似的。同時也感到，我既幸而沒有失去生命，就應該對於這個家庭更多一份關心才對。

我最初絲毫沒有想到我能和聯芳結合，空軍的社交生活是很大方的，關心聯芳生活的同事，也不祇我一個。但是及至我發現我的初戀對象竟是聯芳的時候，我不得不說是那微妙的關係所促成的吧？

聯芳決定嫁給我，這個消息傳出去後，立刻成爲美談。空軍寡婦再嫁給空軍，在我們的環境裡原極普遍，給人家一點傳奇感覺的，當然就是因爲那次我沒有死的故事。

我是個初婚的男人，對於「家」抱著無限的新奇感和無窮的希望。聯芳卻不同了，在家庭中，她處處顯得老練和熟習，她常常對我輕輕地一笑說：「你不懂！」那是眞的，在我們的家裡，處處都是有條有理的，一雙襪子、一件襯衫，都整整齊齊地擺在固定的抽屜裡。夠營養的三餐、舒適的沙發，我滿意於自己的幸運，幸運我遇見了聯芳。

我有時會想，這也許是因爲我遇見了一個有過婚姻生活經驗的女人的緣故吧！我不信如果是一個初婚的女人，會比聯芳更細心。也就因爲這樣，我才時常想到聯芳異於我的地方。她在生命史上，還有過去的一段情史，我的過去卻是空白的。了解聯芳，更要同情聯芳，我不能抹殺她過去的一段，何況還有兩個孩子留作憑證。事實上也無法使她忘記克儉，而我也沒有這種居心。我說過的，我敬重死去的克儉，我希望聯芳和我共處，不會因爲今昔的比較，而使我在她的面前失去信心，我是如此的愛她。

新婚很甜蜜，家庭使我迷戀。我沒有忘記給兩個孩子帶回糖果玩具，雖然他們還是照婚前的稱呼，叫我「叔叔」。聯芳要我原諒，她說，這兩個孩子雖然由我養育，仍是隨克儉的姓。我不在乎這個，克儉應當有他的後代。所以我對聯芳說：

「有什麼關係，再生一個管我叫爸爸的，不是一樣嗎？」

但是聽了我的話的聯芳卻很嚴肅地對我說：

「但是，生孩子的事，我可受夠了呢！」

這幾句話的確給了我一些不自在，我沒有說什麼。聯芳似乎覺察出她的話給了我一些打擊，便又用和緩的口氣說：

「好在孩子雖然不是你的，卻永久和我們生活在一起，我們並不能算是沒有孩子的家庭。對嗎？」

對於我有一個自己的孩子的事情，目前是沒有希望的了，因爲聯芳對於這件事，防衛得非常周密呢！

對這兩個孩子，我盡了父親的責任，雖然不是說盡了責任就一定要求權利，但是既然在一個家庭相處，總要過得像一家人。可是有些地方，的確破壞我一向對他們的完整的情感，我如果說這責任聯芳應當承當，別人也許不會了解繼父的心情，但事實卻是如此。

七歲的標標是個淘氣的男孩，男孩淘氣是天經地義，尤其是在這個歲數。聯芳爲他很傷腦筋，她常常被纏得狠心得揍他，嘴裡罵他：

「你死去爸爸的好處，你一點兒也沒有！」

每逢這種時候，我就會把挨了揍的標標拉過來，聯芳有時很可憐地氣哭了。在後夫的面前撫育遺孤，聯芳的心情是和常人不同的，我愛她，我應當了解她。

但是有一次，標標又被鄰居太太告狀告到我的面前時，我也有些氣惱了，那一陣子，標標實在淘氣得不像話了。我來不及叫醒午睡的聯芳，便叫過標標來，用木尺打了他幾下手心，並且罰他面壁而立。我所施于標標的，都是按照聯芳一向的辦法。我這樣做，也無非是給鄰居的太太消消氣，可是從臥室走出來的聯芳，卻變了臉色說：

「你爲什麼打他？」

這意外的一問，不免使我吃驚，跟著她便將面壁的標標拉進臥室，我尷尬地僵立在那裡。隨後我倒在沙發上，很理智地研究聯芳的心情，我研究不出來，又想到聯芳也許會向我解釋，我也可以向她解釋，我所以這樣處置標標並非過分，實在有一項理由在——祇爲了做給鄰居太太看，使她們消消氣而已。但是聯芳一直沒有再提起這件事，她似乎祇是警告我不許打標標或小妹，沒有什麼理由，她祇是在感情上覺得應當這樣，當然對我也就解釋不出什麼理由來。但我不得不承認一件事實，我們家庭的情感關係，並不是我所想像的那樣簡單了。

從此以後，孩子的事情似乎給了我許多警覺，我不願破壞我們一向的幸福，總是小心翼翼地處理我和孩子之間的關係。

但聯芳不知懷著什麼心理，她總是盡量地使孩子不接近我，可能她認爲那一次我打了標標是討厭孩子，如果她這樣想的話，便完全錯誤了！因此我和他們母子之間，漸漸醞釀著一種不自然的氣氛。

許多次我都懷疑著，這個家庭究竟是我闖進來的，還是我們所共有的？晚飯後我又寂寞的獨處一角，方桌的燈下是他們母子三人在看畫片、剝橘子、或做遊戲，興高采烈。有時孩子們跑到我身邊，聯芳會趕緊把他們叫過去。

「別跟叔叔搗亂，來這兒！」

這句話表面上是善意，但是我卻感到冷漠無情，彷彿我是局外人，而非這家庭的一員。這個情形要一直挨到孩子們入睡，她才拿起活計坐到我的身邊來。她的用心也很苦，把我和孩子竟分做兩批來應付。

有一天，我愉快地從外面回來，看見聯芳正在翻箱倒櫃整理衣服，兩個孩子在她身旁。我看見小妹手中拿著一件衣服，便逗她說：

「什麼衣服，送給我吧！」

誰知小妹把衣服用力向她懷裡挾緊，怕被人搶了似地說：

「不可以，我爸爸的！」

我心中忽然起了莫名的反感，收斂了笑容，乏味地退出臥室。我雖然屢次勸自己：不要跟孩子吃醋，不要妒忌死去的人，但許多次這種滋味終不免爬上我的心頭。

我擔心這些小小不愉快的斑點，是不是會在我心頭侵蝕成一個深深的傷痕，因而使我時刻懷著恐懼的心情，生怕自己被摒棄於家庭之外，甚至於聯芳的心扉之外，可是我終究是唯一了解聯芳，愛聯芳的丈夫啊！

四十三年十二月

愛情像把扇子

丈夫是醫生，我是他的女病人，我們的結合不用詳細的描繪了，當他從生命的懸崖上把我解救下來，我願意把整個生命獻給他。在舅母家休養的時候，醫生偶然來探望他的女病人，對於那一次大手術後的失血過多，他總是不放心的。

舅母的家不是六號病房，我們的談話也就不限於盤尼西林。當他知道我是一個學畫的人時，很感興趣的說：「那麼你的色彩是比我複雜多了！」我不明所以，問他怎麼講？他笑了：「不是嗎？一個醫生每天所接觸的不過是一片白色的裝飾和生命的紅血而已。」我說：「您嫌太單調了嗎？謝醫生！」話一出口我覺不妥當，可是收不回來了，他握住我的手，望著我的臉，在默默中，你會知道其中的情意有多少，我們終於結婚了。

我們的蜜月旅行說來很糟，最初，我們有一個偉大的計畫，預備做一次環島旅行，讓東部的太魯閣、中部的日月潭、南部的阿里山，島尖的鵝鑾鼻，都留下我們新婚的足跡，徜徉於青山綠水間，給我們的蜜月畫頁上添一些美麗的色彩，我對於我的婚姻是這麼滿懷希望！

在嘉義的旅舍中，正準備上山的手續，忽然從友人處轉來護士趙小姐的長途電話：七號病房的病人情勢轉惡，院長希望他立刻回來一趟。我雖然怪趙小姐太多事，但是在一個醫生看來，六號病人和七號病人，生命是同樣重要的，我又有什麼理由攔阻他回去？蜜月旅行的計畫整個破壞了，這是不幸的先兆嗎？

幾次重大的手術，造成他的地位，我也爲男人的事業蒸蒸日上而慶幸。雖然他在家的時間更少了，總是來去匆匆，飯也吃不好，我眞怕他要累壞了。有時一碗飯沒吃完，趙小姐的電話就來了：

「十二號病人犯神經吵得太凶，要謝醫生來一趟。」有時我也開玩笑：

「十二號病人是男病人還是女病人？他這麼需要你！」

因爲我最熟悉他對病人的態度，在溫和下的強迫，什麼病人都要貼貼服服的，再沒有比謝醫生更會對付不正常的病人了！

可是誰會料到我們這樣一對夫婦，竟也走上離婚之路。

猶記我離婚以後，最知己的閨友茵曾經責備我說：「他怎麼會愛上她呢？眞不可能，你漂亮，有學問，而她……怎麼會？是你不注意他的生活，讓他從你的身邊不知不覺地溜走了。」

我有什麼可向茵辯駁的？我記得他的醫務忙得不可開交，而我卻寂寞得連畫筆都不願舉起時，曾無數次拿起電話撥到醫院去，找謝醫生說話，來的卻是趙小姐：「謝太太嗎？謝醫生正忙著呢，他讓我問您有什麼事嗎？」

「啊，沒什麼事，沒什麼事，告訴他晚上早點兒回來吧！謝謝你！」

掛上電話，我祇覺得百般無聊，祇有披上外套，找同學看電影去，或是回舅母家去消磨一天，到處人家都爲我有這麼一個出色的丈夫而艷羨，我何嘗不？祇是覺得生活中缺少了點兒什麼，我也說不出。

偶然也和丈夫定約會，去醫院找他一同看場電影，參觀畫展，吃一頓經鬆的飯什麼的。可是在醫院裡，我祇有做病人躺在白床上時最神氣，現在我走進去就像個多餘的人，到處礙手礙腳的，我不知道謝醫生的外套和帽子放在何處？到哪兒去找一杯水給口渴得要命的謝醫生！他的抽屜的鑰匙，診斷書上的簽章……對於這些，趙小姐卻最熟悉，要知道，謝醫生每天二十四小時中有二分之一是生活在這種環境裡的啊！這一半我卻屬局外人。看趙小姐出入匆匆，我嫉妒得想對丈夫說：「她簡直像你的貼身丫頭！」可是我的理智終於戰勝了我的「婦人之見」，我應當感謝趙小姐，她是丈夫工作上的好助手。

在一次電影散場後回家的路上，他把我塞在他腋下的手緊緊握著：「蕙君，我有一個計畫，你一定會贊成。」

「什麼計畫？補那次蜜月旅行嗎？」

「不，比蜜月旅行更重要的，我想自己開一個診所。」

我聽了當然高興，一個女人嫁了人，他的事業就等於她的事業。可是他接著說：

「我請趙小姐幫我們的忙，她也答應了。」

又是趙小姐！我聽了半晌沒言語，心裡打著轉。他這句話是有語病，還是出自偶然？他竟是先跟趙小姐商量的嗎？可是我努力把我的「婦人之見」壓倒下去，如果他的事業即是我的事業的話，我不正該很高興地說：

「是，趙小姐是很好的助手。」

「是，她做事極細心。」

就這樣，我們倆都同意了她。

我努力使自己加入新診所的籌備工作，配窗帘，看工人打掃，但我爲什麼不找一份長久的工作呢？我對他說：

「我在門診部管掛號好了！」

「我的女畫家，你別折死我，兩百塊請個小職員，我還出得起。」他拍著我的肩頭大笑。

診所開幕以後，我就又被摒棄於門外了。偶然到診所去看看，像個串門兒的客人一樣的被歡迎著。趙小姐和氣地請我喝茶，請我上座，丈夫支使她這樣那樣像支使……唉！我不自在，可是我又不能向任何人說出我的心情，我勸自己，不能祇憑自己的直覺便那麼沒涵養，這要被丈夫看不起，要在朋友間落笑柄。我壓制自己無名的妒火，借畫筆在畫布上亂塗，企圖抹去我心中的不安，可是不能夠，我把畫筆摔在地下，爬在床上哭了。我是女人，她是女人，他卻生活在我們兩個中間！愛情的產生是很難說的，它也許是一見傾心，也許是靠了多日的耳鬢廝磨；出於感恩，也許出於施與；我有什麼理由說他們不會怎麼樣呢？可是我難道願意把懷疑變成事實嗎？我矛盾不安，爲了使鬱悶的心情求解脫，我拾起畫箱作一次短期的寫生旅行。投入自然的懷抱，胸襟廣大多多，我帶著驚人的好胃口回來了。

可是一向活潑的他卻變得沉默起來，我旅行所聞所見都不能引起他的興趣，連應酬我都看出是勉強的，我不安的心情再度發作，他工作疲乏嗎？事業不順心？終於有一天我在臨睡前做主動的發問：

「你有心事嗎？」

「嗯。」他正斜在躺椅上向天花板吐菸圈，聽我一問，他驀地站起來，低頭在屋裡來回踱著，然後走到床前來：

「我不知道應當怎麼求你的諒解，我——我對感情的處理有錯誤。」

要來的事總要來的，我已理會出他所謂的「錯誤」指的是什麼，我不敢對他正視，別過頭去，面向著床前暗綠的小檯燈：「不可以挽救嗎？」我的聲音多麼脆弱！

好久好久，好久好久，我簡直不相信，那低沉的聲音是從他的嘴裡發出來的：「她已經懷孕了！」

一個女人最能把握現實的，莫過於她的身體裡有了一個生命，這使她有足夠的理由能在一個男人生活裡占據一個穩固的地位，而我，必須挪一挪，勻出些地盤來，讓我們兩個同在他心裡擠。

如果我不能得到整個的愛情，我爲什麼不把它整個讓出來？愛情像把扇子，舊了沒關係，撕破就不好，如果一把嶄新的紙扇，撕了一條縫，雖黏補後照樣搧得出涼風，可是那條補痕看了並不舒服，寧可丟了不去用。世人又常說破鏡重圓，但它照出人來總是合不攏。

因此，我對於這次愛情的處理，並沒遵從親友給我的勸告，舅母說：「趕走她！」茵說：「搶回他！」舅舅是男人，他願意「兩全其美」，而我卻辦了離婚的手續，一個人悄悄來到南部這山村。舅母送我到車站，她抹著淚罵我：「傻到這種地步！」

我無論如何倔強，畢竟是個女人，這總是一次嚴重的打擊，心力交疲，我又倒下了。養痾一年，我好不容易才恢復正常。但是心之創痕，何時才能平復啊！

四十二年四月

繼母心

行完婚禮回家的路上，紹祖告訴我說：「昨天我已經從大姊那裡把孩子們接回來了，我想他們一定會喜歡你。」

我聽了微微一笑，心裡卻想著紹祖的話實在是多餘的，我還沒有遇見不喜歡我的小孩子哩！憑幾年教書的經驗，我知道我在孩子們的心裡，常常是占據了很重要的地位。就拿這次我的結婚來說，當我因爲要結婚而辭去教職的消息傳到學生們的耳裡時，他們把我團團圍住哭了起來，他們還天眞的說不許我結婚的話。如果不是同事劉老師向他們撒了一次謊，說我婚後仍然繼續教書的話，眞不知要怎麼解圍。

我想到這裡，不由得打開手提包，拿出學生們送給我的紀念冊來。他們每人寫了一頁祝賀我結婚的詞句，並且貼上一張小照片。看一張張天眞活潑的小面孔，我想到紹祖的兩個失去母親五年的孩子。如果我的學生們知道韓老師竟忍心地丟棄四、五十個朝夕相處的同學，而給另外兩個陌生的小朋友當媽媽，更不知要怎麼嫉妒和傷心呢！

表姊向我的雙親提出這門親事後，首先就遭到母親的反對。她以爲續絃就夠瞧的了，再加上前房遺下的孩子，這份後娘的罪不好受，深不是淺不是的何苦來！但是因爲表姊講了許多關於對方的好處，父親便不肯輕易放棄。商量的結果是：由我先見見面再說。於是就在一種半新不舊的形式下，我們見面了。父親深喜他談吐不凡，我也覺得紹祖儀表人才使我傾心，但是母親仍堅持她的老意見，爲我日後擔憂而遲疑不決。最後還是父親拿出他的家長權威來，一言決定了。他對母親說：「宛兒有孩子緣兒，你放心吧！」我以爲小孩子的問題對於我實在不算得回事兒。

可是我所料想的完全錯誤了，猶記當日我們新夫婦回家，進門來，客廳裡已經到了許多至親好友。這時一個四十多歲的女人拉過兩個孩子來，她對孩子說：「叫媽呀，叫呀，這是你們的新媽媽。」

我彎下腰伸出手來，把笑臉迎上去，正預備接受一對現成兒女的見面禮，但出乎意外，站在我面前的，竟是兩張我今生所遇見的最可怕的小臉！那十歲的女孩對我怒目而視，六歲的男孩則噘嘴低著頭。我伸著沒處交代的右手，臉直發燒。但在那刹那間，我仍能自持鎮靜，拉過弟弟的手，用我一向慣於應付小學生的口吻笑著說：

「來，看我給你們帶來好東西！」

可是當弟弟抬頭向他的姊姊放出徵求意見的眼光時，而姊姊卻給了一瞪眼的暗示，於是弟弟立刻從我的手中掙脫了。在眾目睽睽之下，我的難堪和尷尬，立刻使我想到母親的話並非過慮，我到底遭遇到她所料到的事實了。我幾乎要哭出來，不知道那時嘴裡是喃喃說了兩句什麼話來給自己下台。

自此以後，我不記得有多久，總是一段不算短的時期吧，毫無理由地，兩個孩子拿我當做敵人看待，我卻無時無刻不在想如何討好他們的辦法。

我知道大女兒玲玲在學校裡是高材生，是能幹的班長，是老師的得意弟子。有這樣一個女兒，原是値得做母親驕傲的，我又何能例外？我也知道弟弟力力是個憨厚的小孩子，他的年齡本來還不到能懂得「後娘」是什麼人物的程度，但是因為他一定要唯姊姊之命是從，也糊裡糊塗地反對我。

在這家庭裡更可悲的還有圍繞著兩個孩子的一些成年人，比如一個直接操縱著他們姊弟的老女僕——吳媽，她是親歷過我的前任的人，當然也是這五年來照顧兩個孩子的功臣。她的功勞太大了，所以她等於是這家裡的一半主人。我知道我的降臨也許於她不利，因爲要把家務交出來，可是我處處表示與她合作，稱讚她五年的汗馬功勞不可磨滅。我這麼做並不是怕她，我不過爲使家庭空氣緩和，更希望我對她的態度可以轉變孩子們和我之間的感情。我多麼盼望跟他們和好，因為我是理智的，我並不要破壞家庭的幸福。

還有一群可怕的親族，彷彿時時在等待我們家庭的笑柄發生。在她們腦筋裡總有一個陳腐的觀念，就是所有的晚娘都有一套花樣。她們還覺得，她們是為了保護孩子，在時時防範著我，所以如果真的沒有什麼問題發生，她們為什麼不可以製造一些？她們來了，和吳媽嘰嘰咕咕，拉住小孩子問長問短，用懷疑的眼光打量我。

在這種情形下，我幾乎是動輒得咎了，我的一舉一動，一言一笑，都成了她們琢磨的資料，歸根當然是給我按上一個罪名，難得她們對於每一瑣碎事情都給安排下一種說法。

結婚的第二年，我生了兒子方方。記得有一次，力力鬧消化不良，嚴重的那兩天，醫生囑我最好連牛奶都不要給力力喝，因為他嘔吐得太厲害。我便把每天早晨送來的牛奶煮了給方方喝，這原是極自然的事，但是收進吳媽的眼裡，就變成珍貴的資料。不久，在我們親族裡便傳出一個可怕的故事，說我生了兒子，便拿力力不當人，居然把力力的牛奶給方方吃，而使患病的力力可憐的餓著肚子。那說法就像我簡直要把力力置之於死地似的！

在「牛奶故事」後不久，又有一天，我忽然聽見一個悲切的歌聲發自玲玲的房間，吳媽正熱心地教她一首兒歌。

「小白菜，地裡黃，三歲孩子沒了娘，跟著爹爹好好過，就怕爹爹娶後娘。娶了後娘一年整，養個弟弟比我強，人家吃麵我喝湯，端起飯碗淚汪汪……。」

這熟悉的歌詞，立刻使我憶起童年時代，這首歌，再配上凶惡的後娘故事，也曾使我為之憤慨。我又記得小孩子不聽媽媽話時，大人就會嚇你：「把媽媽氣死，給你娶個好厲害的後娘來！」那時小孩子就要恐怖地擺擺手，再也不敢淘氣了。

原來「後娘」也者，在孩子們的心裡，早就奠定下恐怖的基礎，而這基礎正是大人們循循善誘的結果。不信試看家傳戶誦的後娘故事裡，舜與象、蘆衣記、寶蓮燈、外國的白雪公主，……他們在每個小孩子的心田裡都灌注了恐怖的種子。也就是說，每個孩子都要受一番「後娘是凶惡的」教育洗禮，我又想起我自己不也曾把這些故事津津有味地講給我的學生們聽嗎？如今我自己做了後娘，就不免要懷疑，難道後娘就應當是屬於這一典型了嗎？那麼我怎樣解釋我自己？

我忽然領悟，如果孩子們敵對我，我又怎能怪他們？原來我們的歷史開頭就是錯誤的，當我們還沒有肯定歷史上究竟有沒有「舜」這一號人物時，卻確定了舜有一個凶惡的後娘。也就是說，有了歷史就有後娘，而且是不善的，這是多麼愚蠢的兒童教育啊！

我覺得周圍的空氣這麼惡劣，要想使我們的家庭走上融洽之路，我一定要把那路上障礙去掉，吳媽便給我斷然辭掉了，直接影響我們的障礙雖然清除了，但蒙在玲玲和力力心靈上後娘的暗影，仍待我苦心剷除。

爲了挽回這根深柢固的不良觀念，確費我不少的心機，用誠懇的行爲表現了我的善良。漸漸地，後娘的刺終於從他們心中拔去了。

這樣，已經十年的光陰過去了。

芳齡二十的玲玲，已經是個亭亭玉立的少女了，聰明、美麗、熱情，使她的青春更爲豐滿，力力也是個十六歲的強壯的小伙子。當他們姊弟兩個領著他們的幼弟方方一道時，那份親愛，那樣團結，有誰能夠說他們並非一母所生呢？連他們自己也忘了「後娘」這個名詞的存在了。

我知道玲玲正熱戀一個比她似乎大了十歲的男人，有一天當她把戀愛正式向我宣布，並徵求我對他們婚姻的同意時，她還這樣告訴我：

「不過他死過太太，還留下一個兩歲的女孩，多麻煩，我眞有點兒不……」

我聽了心中不免一動，多年以前我的婚前情景，又浮在眼前，我想起母親當時對這種婚姻的態度。但我立刻很自然地對她說：

「爲什麼不呢？像我愛你一樣去愛那孩子！」

這時她正倚在我的身旁，我說這話時把臉向著她，她聽了衝動地在我臉上留下溫馨的一吻，輕輕喊著說：

「啊，媽！」

我知道在她那充滿了感情的喚聲裡，也包含著對我的歉意——她曾毫無理由地敵對過我，只因爲那時她的心裡是充滿了那些故事的。

當我執筆爲文的時候，我的玲玲已經做了三個月的後娘，她來信說，她的後娘做得很順利，並沒有遭遇到像她的母親——我當年的困擾，因爲她的女兒還小，幸虧還沒有被人們灌輸了那種「萬惡後娘」的教育。

這就是了，我因此要求世人，把足以危害家庭幸福的那些後娘故事，從孩子們的心靈中驅逐出去吧，讓我們重新建立起後娘與子女的善良關係！

四十一年六月

再嫁

臨走前他照例吻別我，又附在我的耳旁輕輕的說：「去喝一杯熱牛奶，好好的睡一夜，明天那群淘氣的客人夠你應付的！」

但是無論如何我不能立刻上床去，一個即將再嫁的新娘，能在結婚的前夜安穩的入睡是不容易的，她有許多事情要想。

我坐在這間布置一新的屋裡，嗅著淡綠的牆壁散放出新油漆的味道，心中確有與往日不同的感覺。

新屋的窗幔是照著我的意思選了深綠色的，這個顏色也許人們會覺得不夠艷麗，不適於新娘的房間，但是你如果看見窗前長几上那瓶怒放的玫瑰，在綠色窗幔的背景襯托下，更顯得嬌艷奪目時，便不會做如是想了。屋角放置兩張花帆布的單人沙發，中間是一架美麗的淺藍色紗罩的立燈。明天這間新屋裡就要添一位新的男主人，以後每個這樣的夜晚，可以看見一個啣著菸斗的男人，安詳地坐在紗燈下的沙發裡，讓平哥兒和小琳倆爬在他的膝上淘氣。在燈光與笑聲裡，在他死去的四年後，我將重新拾起安全的家庭生活。

四年並不算長，在這四年中也有若干次使我再嫁的機會，但都被我放棄了。我並不是舊式的婦人，還固執於什麼守節的觀念，我實在是期待再嫁的日子，因為我經驗了一個女人獨力撐起一家的生活是多麼艱辛、單薄，空虛和乏趣！使我多次放棄再嫁機會的，卻完全是為了平哥和小琳。不過這一次我終於欣然再嫁，而且選定了他，又何嘗不是為了兩個小東西？

在我們交往半年後的一天，他忽然擁著我的兩肩，用愉快地聲氣對我說道：「答應嫁給我，讓我分承你家庭的責任和快樂！」我聽了這樣的話，不由得在他的擁抱中啜泣，我的眼淚流出了我的感激和女性莫名的傷感。我知道他會是我的良人，但更主要的，還是慶幸孩子們終於得到一個足以代替四年前死去的爸爸的人。

四年前當他知道了所患的是不治的癌症，在臨危時頻頻搖動著我的手說：「忘掉我，快樂地再嫁！」我伏在他的身上哭泣。我當時並沒有想到再嫁與否的問題，我正痛心站在我身旁的四歲的平哥兒和兩歲的小琳；他們還這樣幼小！

但當孤寂無邊的漫漫長夜一天一天的挨過去，我才深深體驗到獨力的單薄和寂寞的可怕。有一次，小琳天眞的說了一句「我們家裡少了一個當爸爸的人」時，我突然想起死去的丈夫給我的遺言：「快樂地再嫁」。不過我知道，再嫁雖不難，快樂談何容易？因爲我已不是初嫁時那個單純的女孩了，我不能強迫一個男人愛了我，也必得愛我和另一個男人生下的孩子，但事實上，我再嫁的目標卻非此不可。

有一次當一個和我交往了相當時間的男人終於被我拒絕了以後，我的朋友們都爲我惋惜，他們怪我不應當放棄這樣一個求之不得的機會。是的，那眞是個一等的男人，有事業，有金錢，有健康；送給我的是上好的禮物，上好的小心。但可惜的是他像完全沒有理會到我的身邊還有兩個小傢伙，他對我的孩子總是漠然無視。某一次我聽見我的兒女閒談，平哥兒對他的妹妹說：

「就是常把媽媽帶出去的那個討厭的傢伙嗎？」

祇這一句話便決定了，我從此便沒有再被那個「討厭的傢伙」帶出去了！

後來又碰到一個幾乎使我掉入陷阱的男人，但當有一次小琳發著高燒，而他還勉強我去看一場電影時，給了我拒絕的決心。他們難道不懂得小孩子是他們母親的——血的一部分、肉的一部分嗎？

我對再嫁灰了心，深深地感到，要使兩者的愛並存是不可能的，你總要犧牲一方面。但這樣的意念終於被另一個闖入我們的家庭來的男人打破了，他的光臨是這樣自然和融洽，他出奇地疼愛孩子——和我。

他來了，孩子們便撲上去，從膝蓋攀到他的頭頂，他對孩子扮著令人發噱的鬼臉，我眞怕他把孩子慣壞了。除了甜蜜的糖果和縱情的歡笑外，孩子們已經不叫他「伯伯」而直呼「老白狼」了——他爲孩子們講的故事的主角。

站在一旁欣賞這幅天眞快樂的圖畫時，我忽然覺得這樣的感受對我並不生疏，祇是我們已有許久不再得到了。在剎那間，彷彿又把我帶回到四年前。他回過頭來，我們的眼光碰在一起，這種親切無聲的語言，已把我們的心連在一起，我那時又驚又喜，我知道他的眼睛要對我說的是什麼。

當我決定答應他的要求後，我要他再去得到孩子們的允許，他以十分把握的口氣對我笑說：「那還能有問題嗎？」

我說：「你一定要試探一下，平哥兒雖然只有八歲，但是生活在一個有了缺陷的家庭的孩子，是比較敏感的。」

我陪他走進臥室，小兄妹倆正在床上打枕頭戰，扔得不可開交，看見我們來了，平哥兒大聲喊：「好，老白狼！」小琳也跟了一句。

他和孩子們滾在一起玩一陣，然後把他們拉住，玩笑的問：「我聽你們的媽媽說，你們很想要一個爸爸，是嗎？」

「當然！」平哥兒乾脆地回答，他得意地向我皺一皺鼻子。

「那麼讓我到你們家來，做你們的爸爸，好不好？」他開門見山的問。

這一回平哥兒瞪著大眼愣住了，看看我，沒有回答，卻附在小妹的耳邊嘰咕了兩句，兄妹倆指著他哈哈大笑起來。把原來十分自信的他給笑毛了，退到我的身邊，我也苦笑著，不知兩個小東西究竟懷著什麼鬼心思，我的心不安起來了。

呆一會兒，小琳忍不住了，拍手說：「哈哈，老白狼想做我們的爸爸啊！」

我感到這句話並沒有什麼惡意時，才鬆了一口氣，但是他這回卻不敢那麼放膽無慮了，小心翼翼地探問著：「是啊！老白狼實在很想做你們的爸爸，可以嗎？要嗎？」

「OK，老白狼！」多乾脆的應允！

「OK，聽見沒有？」他緊緊地，緊緊地握住我的手，那手因了緊張，又濕又熱。

在冥冥中他如果知道四年來我的苦心，他一定會同意我今天爲孩子和我所選的對象——一個眞正配得起塡補那空虛位置的人；他也可以瞑目安睡於天堂，因爲我終於依照他的遺言，我是「快樂地再嫁」了！

四十一年五月

奔向光明

我們這樣的散步，到幾時爲止呢？你有你溫暖的家庭，我有我光明的將來。

我們最初的散步是出於偶然的，你應該記得，隨便走走，隨便談談，走過了橋，你回你溫暖的家，我回我寂寞的單身宿舍。有一天，走盡橋頭，你的故事還沒講完，你要我再在橋上走個來回聽完它，我欣然允諾。以後，我們便常常這樣的在橋上來回散步了。聽你滔滔的話，必須把時間和道路拉長，我們的時間便從黃昏墜入黑暗，我們的道路便從過橋伸到堤岸。

有時，我們竟不知黑暗來臨多久，你看看手腕說：「呀，該回家了！」我也說：「是啊，太太還傻等著你開飯呢！」

我們都笑了。你的笑是歉然的；你的眼向我道歉，你的心向她求恕。你說：「那麼明天見！」有多少次我想告訴你「不再明天見」，只是因爲貪戀明日黃昏後和你散步的快樂，而把到嘴邊的話嚥下去了。你說「明天見」這樣自然，輪到誰都無法拒絕的。

我獨自步過那橋，嘴邊還掛著笑，是笑你有那麼多有趣的談吐。

回到宿舍，宿舍有一份冷飯扣在紗罩下等待寂寞獨身女主人的歸來。我吃著開水泡冷飯（何止一次啊！）彷彿見到你回到那溫暖的家了……你有三個孩子，最小的該睡著了，第二個也睜不開眼，大的還勉強伏在書桌上掙扎。你的家庭，在男主人沒回來以前，該是有一段寂寞的時光。你回來了，家裡立刻起了騷動，這騷動給你的家人帶來快樂和安慰。你的太太急忙爲你下廚熱菜，你的大孩子給爸爸找拖鞋，老二已迫不及待地要騎上你的脖子。這時候屋外雖冷雖暗，屋內卻暖卻亮。你在那幸福的剎那間，會把剛才散步的事忘得乾乾淨淨了。……我想到這裡，嚥下一口冷飯，心中充滿了惆悵。

有多少次，我們停在橋中央，對著落日餘暉，通紅的半個天反映到你的臉上，我也曾在你那光采的臉上打過許多問號，我要問問看，你對我們這樣的散步，究竟怎樣的想法？我要問問看，我們準備幾時向這散步的生活告別？你的笑談明朗有趣，我們有時要分手了，你還可以站在橋邊又說笑一陣，你總要使聽你話的人滿意而歸，使她在明日黃昏後急急盼望和你相見吧？但這一切又能得到什麼結果呢？你說過的，你的夫人既賢且慧，你的孩子又乖又巧，你在你的家庭裡是最偉大的人物。我相信你，如果你做了我的丈夫，一樣是我心目中永久的英雄，我也將終身依賴著你。可是這份幸福上帝早已賦予你的夫人了。

每天的黃昏，不管風中、雨中、霧中，我們都在橋邊相見。有時我們伏在橋欄邊靜聽流水淙淙，我倆的倒影在水中滑稽的顫動著，我們指點著談笑，路過的人會對你我怎樣的想？橋邊賣水果的人，看我們在雨裡漫步不知多少次了，他會想，你是我的什麼人？你是個坦白而明朗的人，正像你有趣的談話。我們的談話原可以在任何人面前公開出來，其中一半關乎你可愛的家庭，另一半才是世間的瑣碎事物。在你多少回的談話中，我都彷彿進入了你的家庭，而且分享了她的快樂；當你說你常把那剛剛八個月大的老三，托在你有力的一隻手掌中時，我竟怕他跌下來，彷彿要從你的手中接過孩子；我也想像過你們全家出遊的情景，老大、老二在前面跑著跳著，推著老三小車的卻是我，你一手提著小旅行袋，一手幫我推著小車……但等我從迷惘中醒來時，才意識到我只是站在橋心和你談話，我悵然若失，也罵自己可笑的胡想。你以為我累了，你又說「明天見」了！

明天見，明天見，我們還有多少個明天見？

當面向你說「不再明天見」的話，是難於出口的，但是我終於不得不在這裡寫下一個「不」字，你不會見怪吧？

向我們的散步告別，以後我路過那橋時，會又像以前那樣低首疾步匆匆而過了。最初的一些時候，我想我是會不習慣的，我會像丟落了一件什麼東西，慢慢地邊走邊尋；我會想起你在橋上的一言一笑；我會想到我們這段友誼多麼不平凡；我更會想，將來那個眞正屬於我的他，是個什麼樣的男人？他有像你一樣的風趣嗎？有像你一樣明朗的笑談嗎？

感謝這一段友誼的散步，它使我認識一個可愛的男人，像你這樣的男人才是我心目中尋找的對象。有一天也許我們又偶然在街頭相遇，那時我們又何妨像熟朋友一樣地互道近況，祇是現在我們卻該分手了，爲的是，你應該回你溫暖的家庭；我應該奔向我光明的將來。

四十一年二月

爸爸不在家

我最恨莉莉！

莉莉和她爸爸每天路過我家門前的時候，總要問我：

「阿梅，妳爸爸還沒有回來嗎？」然後還得意地看著她爸爸，嬌媚地笑！見鬼，她的爸爸生得這樣難看，又矮、又紅、又胖！可是她爸爸的手，那胖胖的手，總是領著莉莉，帶她逛呀逛的，逛到天黑才回家去吃飯。我聽見他們唱歌的聲音遠遠的傳來，便趕快離開窗口，我不願意，也不喜歡聽見莉莉每次說那樣的話：

「爸爸，阿梅家的燈已經滅了，這樣早就睡覺了！」

我很怕看見莉莉，但是憑什麼我要怕她呢？我的功課比她好，我的爸爸也比她的爸爸好看得多；爸爸也有一雙又大又厚的手，可是，可是爸爸他……。

媽媽又在哭，每次都是這樣，不出聲的，眼淚一滴一滴的掉在手中的活計上。這個冬天她的毛衣織得太多太多了，每件毛衣都不知道給人家滴上多少眼淚，然後用熨斗把毛衣熨得平平地，眼淚的痕跡一點兒也看不出，人家都誇獎媽媽的手工好，我常常在想，媽媽的毛衣是用眼淚織成的，一針一針的，也一滴一滴的。

爸爸昨天回來了，可是媽媽不高興，爸爸也不高興。媽媽冷冷地問：「在家吃飯嗎？」爸爸也冷冷地回答說：「也好。」我們吃飯好像魚喝水——一點兒聲音都沒有！

我想告訴爸爸，我這學期又考了第一名，可是我覺得說出來又有什麼意思。張小芳考第十二名，她爸爸還給她買了一件新外衣呢！我並不是希望爸爸也給我買什麼東西，我什麼東西都不打算要爸爸買，媽媽樣樣都會給我預備好，我祗是想……唉，屋裡爲什麼這樣冷清啊！

吃過飯，媽媽在廚房刷洗，我便拿出功課來做，我總是做功課，做功課，做不完的功課！爸爸坐在沙發上吸菸，向著電燈吐菸圈兒。莉莉的爸爸也會這樣，每次莉莉都是哈哈笑著去撩那圈兒。我很想在這個時候告訴爸爸我考第一的事情，可是爸爸剛好站起來了，拿起帽子，他說：

「阿梅，來給我關門。」

我在門口望著爸爸走到看不見影子才回來，他怎麼連問都不問呢？像天黑以後，莉莉的爸爸總要說：「莉莉，小心走，前面有水，來，爸爸領著你！」難道我阿梅就不怕黑嗎？就應當一個人走回屋裡去嗎？但是爸爸呢？他一個人要走到什麼地方去？在這樣黑，這樣濕，這樣的毛毛雨裡？

媽媽已經坐在爸爸剛才坐過的地方，又織上毛衣了，她說：「阿梅，衣服都淋濕了，換一件吧！」媽媽和爸爸比較起來，媽媽好像更愛護我。可是我們原來並不是這樣的呀。是從什麼時候起，才這樣的嗎？

那時候，好像是昨天，又好像很久以前，我記不清了，爸爸和媽媽常常是這樣對坐著，我騎在爸爸大腿上。他吸一大口菸，腮幫子鼓鼓的，然後一面拿起我的手，一面指指腮幫子，於是我就拳起兩手，在他的大嘴巴上一捶一捶地，爸爸嘴裡的煙就噗、噗、噗地噴出來了，一直噴到沒有煙，我們就笑，爸爸，媽媽，和我。屋裡充滿了說聲，笑聲，煙氣，燈光，多暖和呀，多快活呀！

有一天夜裡我被吵醒，媽媽坐在床沿哭，有聲音的哭，不像現在這樣。爸爸手托著腮，吸著菸，他說：

「我慢慢地離開她好了！」

媽媽哭得更凶。

我很害怕，我說：

「媽媽，來睡覺。」她沒有理我。

以後這種事情常常發生，看慣了不覺得害怕，祇是我們那些歡樂的日子從此消失，媽媽和爸爸不再說笑。從那件事以後，媽媽更難得有笑容。

爸爸漸漸很少回家，無論什麼人來找，總是趕上「爸爸不在家」，我現在很怕說這句話，我又不得不說。

我現在也不喜歡到莉莉或小芳家去，莉莉的母親見了我總要問：「阿梅你爸爸在家嗎？」

「爸爸不在家！」

到張小芳家去也是，張伯母做出一副怪樣子：「嘿，阿梅，你爸爸又幾天不回家啦？」

「不知道。」

我要回家，立刻回家。我受不了，我要問媽媽，爲什麼「爸爸不在家」？爲什麼她不把爸爸留在家裡？

可是，媽媽又一個人坐在漆黑的屋子裡，也不捻開燈。「媽！」我倒在她的懷裡，仰起頭來，我要告訴她那些話。

「什麼事？」媽媽問我，接著一滴熱淚滴在我的嘴邊。「我餓了！」不知道爲什麼，我說不出來了。

每天每天，在光明離開我們之前的最後時刻，我總要坐在窗口眼看著它離去。我將要告訴爸爸許多話，我現在還小，不能說得很有道理，但，有一天，我會使爸爸不再離開我們，那時我捻開燈，我要跑到莉莉家去，告訴他們：

「我的爸爸在家，他在吐菸圈兒！」

三十九年三月

第五輯

冬青樹

爲了舅母的六十整壽，我冒著酷暑到台北來。表哥、表妹兩對夫婦都早到了，祇等遲到的我。

我進門放下手提箱高聲喊：「阿姈，我到啦！」從廚房的甬道裡發出一疊聲的「啊」，跟著湧出了表妹和表嫂，表哥和表妹夫也從舅舅的書房跑出來，舅母矮矮胖胖，又是放足，她擦著鼻尖的汗，拖著笨重的身軀，搶著跑出來。我見了舅母好高興，趕忙迎上去，舅母握住我的手，把我上下一打量，紅著眼圈歎口氣：「瘦了！」

「瘦了？哪裡！我臨來時才在醫院磅過的，比上次長了兩磅呢！」舅母不滿意我的答覆，不住的搖頭。

「姆媽就是這樣，見了誰都嚷瘦呀瘦的，都像您胖得油簍似的走不動才算數嗎？」表妹雖然結婚了，仍然改不了跟舅母搶白的習慣，我們聽了都好笑，舅母用手指戳著表妹的頭笑罵：「該死！該死！」我又聽見舅母熟悉的罵人聲了，唯有在舅母這毫無惡意的罵聲裡，才覺得是回到了有所依賴的家。

這是兩年來一次難得的團聚，年輕的一代，爲了職業，不能守在老人的身旁，舅母口口聲聲說：「走遠了頂好，圖個清靜！」其實我知道她是多麼盼望孩子們都圍繞在她的身邊。這一次大家寫信商量好，要在舅母的生日全體回家來——其實各人在外面都已成家立業了，可是提到回家，總以在舅母的身邊才算眞正回到了家，就因爲這裡有一個舅母。她無論在什麼時候都使你安心。她安排你的生活，讓你舒服得像一個懶洋洋的人，躺在軟綿綿的床上，不由得睡著了。

可是在這個團聚的家庭裡，我算是什麼呢？我不過是舅母的妹妹遺留下的一個孤女，在女孩時代便被遠遊的父親寄留在這家裡。舅母每見我瘦弱，總歎息說我是一個不幸的女孩，而我卻以爲遇到舅母是我今生最幸運的事。我曾失去許多親人，卻永遠不會失去舅母，她像一棵冬青樹，在我的生活裡永遠存在。如果我說我在這家裡從無寄居之感，那正是因了舅母的慈愛，她從沒有給過我一次機會，使我感覺在這家庭裡是額外的一員。我和一個表哥和一個表妹共同生活，安全而快樂，舅母卻偏愛說我不幸。

舅母是舊時代中一個可愛的婦人，她所以常常說我不幸，正因爲她是一個家庭觀念極濃厚的人。我的出生就是悲劇的開始，生母早死，又被父親遺棄。後來我自己又在一次婚姻悲劇裡，扮演了不幸的一方。如果拿新的家庭觀念來說，我沒有生活在一個完整的家庭中，所以造成心理的不健全，而致瘦弱如此吧？其實我在依賴舅母生活的年紀時，何曾有一絲絲這種不健全的念頭。去年遭婚變，我原處之泰然，卻急壞了舅母，她見了我頓足地哭：「蕙君，你阿爹回來我怎麼交代？」我是快三十歲的人了，舅母還癡心的想著，有一天，十幾年沒有音信的阿爹回來了，她把我仍像五歲的小女孩一樣交還給阿爹呢！我在舅母的眼裡簡直是悲劇的化身。無怪表妹責怪舅母說：「阿姊本來是快樂的，可是姆媽偏要給培養點兒悲劇的氣氛！」「嗯？」舅母舊書念得不少，可是遇見表妹嘴裡的抽象新名詞，就害苦了她：「什麼賠點兒，養點兒！」我們哄堂大笑，舅舅也笑得被一口煙嗆得直咳嗽。舅母轉移目標，衝著舅舅瞪眼：「老鬼，你也笑什麼？」我說過的，舅母的罵聲，常常是表現了這家庭的融洽，罵裡含了無限的愛與關懷。舅母眞是這一家子不倒的權威！

表哥已經做了兩個兒子的爸爸，這次回來，表嫂又鼓著肚子挺身而行了。表妹也初嘗懷孕的滋味，添丁使舅母開心，所見所聞都是孩子的問題。我被冷落在一旁，突然生了孤零的傷感，可是還好，這情緒在我心頭一瞥即逝，我很快恢復了常態。表哥正在喊：「叩頭，叩頭，給老太太拜壽！」舅母笑的嘴合不攏了。

在舅母的生活方式下，是包含著新的希望與舊的道德，叩頭禮並不是這家庭落伍的表現，而是子女奉給長輩所喜愛的一些行爲的表現，如果我們那種七搖八晃的叩頭法，能給舅母老夫婦開心的話，我們又何樂而不爲呢？舅母還照老規矩，四眼兒人不必下跪，表嫂和表妹算是免了，我和表哥、表妹夫帶著兩個表姪一字排開跪倒在紅氈子上。桌上的一對紅壽燭，燭光搖曳映到舅母剛撲了粉的圓臉上，在舅母光亮的臉上，我看見一個老婦人最快樂的時光。刹那間，我忽然想，舅母眞是一個懂得生活，富有生活風趣，而也得到眞正生活的女人。

這次我們要叫一桌席孝敬舅母，可是舅母不肯，她說她願意自己下廚，因爲她知道我們每個人的口味。「可是，您是老壽星呀！我們應當孝敬您，您怎麼反倒做給我們吃？」表妹笑著說。

「算了罷，吃一頓明天就全滾蛋了，什麼孝敬不孝敬！」舅母又罵了，可是這次罵是親切中帶著傷感的，她雖是個頂達觀的女人，但是老人的心是希望歸來而怕離去的，舅母又何能例外？

我們吃得好開心，表妹夫和老丈人豁拳，五魁首，八匹馬，把舅舅要灌醉了。我們也顧不得舅母在廚房烤成什麼樣兒，上一道菜，喊一回好。

和兩表兄妹中，我一直受舅母特別的寵愛，當然是因爲她對我多幾分身世的憐憫。她希望我身體健康，婚姻美滿，好對我那謎樣的父親有個交代，可是在這兩方面，我都使她失望而傷心。我很慚愧一直給舅母精神上沉重負荷，她對於我的關懷遠超過她的親生子女，雖然我已成人，不需人扶助，她的關懷也未稍減。

舅母的生日，我畫了一幅冬青樹送給她，但是我知道，更多的頌詞，再多的贈禮，都不如給她一個能使她放心的表白，我許久以來就要對舅母說的是：我的身體雖仍嫌瘦弱，但意志卻堅強；我的婚姻雖告失敗，但這並不證明我從此失去光明的前途！

四十三年八月

一件旗袍

聚餐會席上，大家都問我爲什麼不帶小美來，我嘴裡儘管若無其事的說：「小美有點發燒，跟她爸爸在家裡玩呢！」實在心裡卻正在擔心。

臨來時，小美哭著要追我，拉住我的衣襟不放鬆，我怒氣未消，使勁推開她，罵她：「不用追我，我今天就不回來個給你們瞧瞧！」我說完用力把門一摔，小美和她爸爸便都被我一股怒火關在屋裡了。我雖走遠，還可以聽見小美砰砰打門的哭鬧聲，還可以看見他抱起小美從玻璃窗向外追望著我，小美的一張淚臉，他的尷尬的面孔，這時都湧上腦際。我忽然想，小美早上起來確是有點發燒的樣子，這時不知怎麼樣了？管她去呢！反正祖華在家，可是，我實在不該拿小美出氣，小屁股被我那狠狠的幾下打腫了吧？

我被不安的情緒困擾，竟不能和老同學暢談暢談飲了，看幾位老同學對她們子女那份愛護的樣子，我覺得今早對小美的態度實在有些失當，可是，我並不是一直這樣的呀！這祇能怪他，怪他爲了一件旗袍，給我這樣的難堪！

聚餐會是兩星期前就規定好了的，我爲這難得的聚會是多麼興奮！聽說孫蕊和祁素珍也準備參加，這也是一件難得的事情，如今孫蕊和祁素珍都是貴夫人了，我們自然不能再以在學校時那種輕視她們功課不好的態度來衡量人家了。在我們這一群老同學中，現在誰又比得了她們倆呢？不怪小羅感慨地說：「人的際遇眞是難測，想不到我們班上兩個最糟糕的學生，今天竟是最出色的夫人了！」

其實小羅的現狀也還算不錯，數一數，在我們之中，恐怕祇有我的生活是最狼狽的一個吧？聚餐，我連一件像樣的旗袍都沒有哪！更不要說手提包、高跟鞋了，一個女人出去應酬，這三樣穿著總不能太寒酸了吧？手提包還可以勉強用，高跟鞋也可以跟隔壁的劉太太借穿一下，旗袍卻實在該做一件了，以後同學們的聚會是少不了的，總應當有兩件衣服替換穿，可是，做新衣服，錢呢？

提起錢，是最煩人的一件事，人人都說今年布便宜了，可是我何曾有過買便宜布的錢來著？箱子裡有幾件舊旗袍，雖然還不至到「捉襟見肘」的地步，但是那短及膝的古老樣式穿出去，也眞怪那個的，最後我不得不向祖華說：

「旗袍是一定要做的，你看錢……」

「好，我想想辦法兒吧！」這是他對我冷淡的答覆。

一天天的過去，離聚餐會還有一個星期了，他的辦法還沒有拿來，我偶然問問，他竟繃著臉說：「我總不能偷人家的去！」

「誰叫你去偷的？人家丈夫給太太做衣服，難道都是偷來的嗎？」我也光火了。

「其實在台灣大家穿衣服都馬馬虎虎的了，我常有應酬，還不就是身上這件香港衫。」

「女人不能跟男人比，再說，我穿的像樣，也是你男人的體面。」

「我倒不需要這種體面呢！」

他說完自顧去上班，留下這句噎人的話給我生氣。

對於一件新旗袍的熱望降到冰點，對祖華的態度也反感日深，我們自這天以後，一直都不講話了！

聚餐日的早晨，我無精打采的翻箱倒櫃，拿出那幾件嫁時裳來挑選，質料也許不錯，樣式眞嘔死人，天可憐見，穿起來竟是逛逛盪盪的，也可見這幾年我瘦了多少！我正對鏡傷懷，祖華進來了，他忽然和顏悅色地對我說：

「一百五十塊錢，我給你放在手提包裡了。」

「嗯。這時候給我拿錢來做什麼？」我沒好氣。

「你不是要做旗袍？」

「笑話！正午十二點聚餐，現在十一點半了，你叫我現在買料子做旗袍？我就是上委託商行買現成的也來不及了呀！簡直是拿人家開心嘛！」

「我不知道太晚了，不過會計上這些日子凍結款子，同仁都不許借支，我還是跟老孫私下通融的。」

「凍結？我要是凍結一天不燒飯，看咱們的日子能過不能？怎麼我就應當常常東賒西欠的，沒讓你餓過一頓，我求你點事，就這麼難！」我氣得要哭了。

「何苦說得那麼遠？難道沒有你還吃不成飯！」

我怎能忍受這樣的頂衝？正在這時小美追過來了，看見我身上穿了花衣，便拉住不放，我便在盛怒之下打了小美一頓屁股……

我這時雖然有點後悔打了小美，但既成事實了只好狠心不想。聚餐後，帶著孩子的母親們都忙著回家，我雖然仍不放心扔在家裡的小美，但是既而一想，臨出門曾起誓說過不回家的話。那麼，我就不能這麼早回去，等於打自己的嘴巴。

正好做了貴夫人的孫蕊邀我到她家去玩玩，我想不到她倒沒有看不起一身寒酸的我——其實今天聚餐會上並沒有人注意到我的穿著，那麼爲了做旗袍嘔這麼大氣，實在犯不上，早知如此……唉！

幾個同學到了孫蕊的府上便被按在牌桌上了，看樣子她們是常常有此一聚的，我雖極力推說不擅於此道，可是同學們怎麼信，而且三缺一的場合，是不容逃避的。我也豁出去了，要玩就玩個痛快，何必牽腸掛肚老惦記那勞什子的家，我實在太苦了！

坐下去才知道，這不是三、五塊錢輸贏的兒戲，輸贏之大使我吃驚，我對於花樣既不熟練，心裡又處處不安，八圈牌下來，我乖乖把手提包裡一百五十塊掏出來，她們也很自然地把錢接過去，就好像這只不過是十五塊錢一樣，她們又哪裡會知道這一百五十塊錢的來源和一齣小小的家庭悲劇呢！

從孫府上出來，我有點痲木，走近家門，才清醒過來，加緊了腳步。推開屋門，靜悄悄無聲也無光，把電燈捻亮，才看見祖華抱著通紅小臉的小美坐在床沿，我跑過去趕快抱起一天不見的小美。祖華和藹地問我：「吃過飯了嗎？我把飯菜都燉在煤油爐上，大概不至於涼。」

我點點頭又搖搖頭，也不知道自己所表示的是什麼，只覺得一陣酸楚沖上鼻尖，轉過身去，把臉貼在小美滾燙的額角上，我哭了！

四十二年八月

台北行

清水鎮的天氣，胡滿芳的心情，今天剛成正比例，一個晴明，一個興奮。

滿芳用輕快的步伐，踏上北上的三等慢車，找個靠窗的座位。剛坐下，她忽然想起忘記告訴少亭，廚房紗櫥裡的黃豆燒肉還可以湊和吃兩頓，還有廊子上晾著二毛的膠皮鞋，還有……唉，不要想那些雞零狗碎的家務事了，一年就開心這麼一回，受夠了，眞受夠了……。

車身咕咚一震，把滿芳的思潮打斷，剛擦，剛擦，車出站了，清水的月台，站長的敬禮，漸從眼底消逝。她無聊的打開手提包，從裡面拿出小化妝鏡，鏡子太小了，要想照整個的臉，就得舉得遠——舉到對面乘客的鼻子上去，不好意思，還是貼在自己的鼻子底下照吧，先看看嘴上的口紅抹出了線沒有，從家裡出來得太匆忙了，還好，美麗的弧形的紅唇。她把小鏡子慢慢向上移動，豐滿的兩頰中間襯著一個適度的鼻子，再上去，是一對窗戶！對這美麗的容貌，她自己也不由得有點驚奇，小張的話也許不錯，他怎麼說的？「兩個孩子的媽媽啦？別玩笑，你一點兒都沒變！」

西螺大橋的通車典禮，滿芳和同事去看熱鬧，遇見了六年不見的小張，他是從台北來的，帶著幾個洋鬼子來參加典禮。剛見面，小張就是這麼一番讚美，說得滿芳心花怒放。她說：

「我怎麼不知道你來台灣，在哪兒恭喜？」

小張ABCD的說了幾個英文字母，滿芳雖然鬧不清是什麼機關的簡稱，但知道準是幹的洋差事，旁邊兒有洋鬼子為證。「喝，賺美鈔的主兒呀，還不請請老朋友。」

小張聽了很得意，也很誠懇的：「怎麼樣，四小姐，什麼時候到台北去，聖美娜那夥子全來啦！」

四小姐，刺耳又親切，多麼動聽的稱呼！有多久沒有人這麼叫她啦。四小姐的時代，可跟一個鄉村小學的女教員迴然不同，想想那時，聖美娜舞池裡的探戈，開了車子接送的男朋友，被包圍在核心的追求、奉承，他們像蚊子一樣的死叮著你，……面對小張，勾起了她的無限溫情的回憶。可是，她怎麼單單挑上了少亭這個大傻蛋！別想他，想他最掃興。

她決定等學生考完到台北去一趟，這一次該不會像去年玩得不痛快。小張告訴她，老丁在哪兒，朱大個兒在哪兒，皮特兒陳又在哪兒，全是洋機關，還怕沒好玩處，小張留下了台北的電話號碼。

等待最焦心，滿芳急於要見見那些老朋友。看看人家！都有辦法，少亭的洋文也不錯呀，可是來到台灣，一頭扎在清水鎮裡，就挪不了窩，把滿芳也拖進去了，爲了生活，她不得不拋頭露臉，成天價跟一群猴崽子打轉轉，鄉村小學的教員包辦一切，一堂音樂，一堂體操，一堂國文，全是她。清水鎮總共有幾條街？磕頭碰腦全是得意弟子，「老師」，「老師」，叫過來，喊過去。有時她也想，做個平凡的女性算了，死心塌地的就跟少亭這麼混一輩子，拿那群猴崽子當小天使。可是她幾時不開心——比如在報上或者台北朋友們帶來都市的繁華的消息時，小天使就成了猴崽子！

在這一點，她是很固執的，她覺得她沒什麼對不起這家子的，一年到台北玩一趟，也是應該的呀，可是要去之先，去之了後，她都不開心，想一想，比一比，就窩心，就要發脾氣，觸霉頭的是少亭。她也知道，逆來順受是少亭的長處，好像上輩子欠了她的債。她想到——離婚（女人怎麼這麼容易想到離婚！）可是，離婚上哪兒去？她又憑什麼要離婚？就這麼，在矛盾中過了這些年了……。

手裡一本內幕新聞，腦子裡一陣亂想，慢車的光陰也不難打發。到台北，萬家燈火了。

出了台北站，雇上三輪車，滿芳把台北的空氣深深的吸下一口：「台北眞可愛！」

出現在表姊家的滿芳，給了表姊一個驚喜：「你寫信說明天來。」

「是呀，台北幾個老朋友非叫我早來玩的。」

滿芳本來預備星期六來，結果提早了一天。她知道都市生活者對於週末多麼重視，尤其是像小張他們吃洋飯的，週末可能碰上他們的好節目，她不願失去。她來台北的目的很單純，散散心，找找老朋友，在都市裡找一點兒刺激，讓她再享受一下，像從前那樣的——在男孩子包圍下的甜蜜而浪漫的氣氛裡，哪怕一點點。她在鄉下過夠了，讓貧苦磨夠了，被家庭纏夠了。

第二天，她打電話到小張的公事房去，睡了一夜，充滿了興奮，她準備好對小張說的第一句話：「誰？再聽聽，是我，滿芳呀！」

可是她沒防這一著；洋機關星期六不辦公，小張不在。滿芳手拿著耳機直發愣，她忘記問小張的住處了。她想一想，便披上那件六年前時興的墊得寬寬高高肩頭的外套，對表姊說：「我先找個同學去。」

她眞的去找一個小學同學，跟她窮跑了一天。她當然不能告訴同學是昨晚上才到，今天就專誠拜訪，只好說：「來了好幾天，都沒功夫來看你。」下午和同學去蹓街，她希望在熱鬧的街上碰到什麼人，可是台北這麼大，連個眼熟的面孔都沒有。

星期日，大腹便便的表姊陪她玩一天，晚上就進醫院去生產。她怪自己糊塗，錯過了兩個假日，她相信明天電話一去就有最開心的節目了。

星期一電話打了一上午，才接通了那個鬼地方，跟老朋友像小張這麼熟的，還來客套嗎？猜了一陣子是誰之後，她就對小張說：「怎麼樣，你打算怎麼招待吧！」

「當然，當然。」對方在耳機裡連聲地說，「怎麼樣，今天晚上有功夫嗎？我請你吃北平館子恩德元。」

「還有誰？多找幾個老朋友！」滿芳興奮極了，她多麼希望見到那夥老朋友。

「好，我找找看，六點半恩德元見面吧！」小張電話掛上了，也沒說派車子來接接她。

在火車道旁的那間小館子裡，滿芳坐了半天了，小張才帶著老丁姍姍來遲。大家談談生活近況，滿芳說一半，藏一半，人家的情形都比她好。

吃完飯，老丁先告辭了，小張也直看錶。滿芳以爲小張總會陪她看一場「倩影淚痕」，或者，說不定有地方去蓬拆一場，她把四年前路過上海買的那雙過時的高跟鞋都穿來了，反害得她走路彆扭。可是小張那樣子，好像就等著滿芳說：「我要回去了！」果然，話一出口，小張立刻張羅給雇上三輪車，把四小姐送回了表姊家。

「嘿，你哪天約他們，皮特兒陳他們？」滿芳忍不住了，這是她這次來台北的最大目的呀！

「好的，好的，我約好給你打電話。」小張誠心誠意的把表姊家的電話號碼抄下了。

在電話旁等了兩天，什麼消息都沒有，滿芳才意會到事實與她所想像的並不同，男人們……，她不願意再想了，看看日曆，後天是舊曆的除夕，明天總得回去了，無論如何，她還有個家，還有那個大傻蛋在等著她。

她心目中那張排得密密的日程表，好像她在課堂上寫的粉筆字，一擦就光，什麼都沒有，她在台北閒得只剩下逛西門町了。

她在走的前一天，去醫院看表姊，並且辭行。三輪車走到公園路上，從車後衝出一輛灰色吉普，她看見的是小張：

「哈囉，小張，死鬼你……」她的腳用力蹬蹬亂打車板，三輪車還沒停住，她就竄下來了，小張的車也停在路旁。

「喔，I am sorry，出差了兩天，忙得一塌糊塗。」小張兩手向上一伸，兩肩一聳，沒轍！

「我明天就要回去了。」滿芳還抱著最後的希望。

「幹麼不多玩兩天？明天幾點車？我去送行。」

「不必了。」滿芳這時才注意，車裡還有兩位摩登小姐正打量她——用一種女人看女人的不屑的眼神在打量她。

「張，too late，你知道不知道？」一位小姐在催促。

灰色吉普一股煙兒的開走了，滿芳怔在那裡。

她到了醫院，產床上的表姊直抱歉：「你這次來，我沒得空陪你玩兒，這兩天跟老朋友們玩得開心嗎？」

「開心極——啦！」滿芳故意拉長了音，表示其眞實，說完她笑著，大聲的笑，爲的是——她怕要哭出來。

四十二年二月

遲開的杜鵑

亞芳一走進房裡，就把手提包扔在桌上，又把自己摔進那張一躺上去就吱吱亂叫的竹床上，長長地舒了口氣。身子仰躺著，一條腿架在床上，另一條腿順著床沿垂下來，兩手交叉壓在頭底下，眼睛直勾勾地望著屋頂的甘蔗板。疲憊的身體得到安息，可是思潮又開始襲擊她，在表妹家的一場談話又浮了上來。

表妹約她去吃午飯，本是常有的事，可是表妹說是妹夫出差了，悶得慌，是假話。她知道，四個蘿蔔頭大的孩子，再加上一個娶了太太手腳就變成了廢物的依賴者的妹夫，表妹一天忙得跟鐘擺似的，一刻休息都得不到。妹夫出差了，表妹巴不得鬆一口氣，哪還能說悶得慌？她知道表妹是有心人，想得周到，同情獨身在外的表姊，所以隔些日子總要邀她去吃個便飯，或者差人送幾樣小菜來。對於表妹這種盛情，她有說不出的感激，每次去也不免要提上幾個大小包包，給迎在門前喊「表姨」的矮小者一陣歡樂。

吃過飯表妹哄小的睡了，大的每人手裡塞了幾塊糖果趕出去，屋裡立刻像客散後的戲院一樣寂靜。表妹似乎有什麼事要對她說，亞芳感覺得出，因爲她已看出表妹出出進進局促不安欲言又止的樣子。她喜歡表妹，就因爲她世故比歲數更年輕，還沒說話先脹紅了臉，呑呑吐吐地：

「表姊，我跟你提一件事兒，不知道你生氣不生氣？」

生氣？從表妹這裡她能碰到什麼生氣的事兒呢？亞芳不禁斜著頭笑問：

「有什麼事值得叫我生氣的，你說說看。」

表妹更難爲情，急忙搖著頭笑說：

「不是的，不是的，實在是一件很好的事，力行臨走時還再三囑咐我，務必跟表姊談談。」

「能有叫人生氣，而又很好的事嗎？」亞芳又逗她。

「哎呀，表姊，別笑我不會說話的人，行不行？是這樣，力行的一個老師，是南部的廠長，他姓張，他的太太死了四、五年了，孩子都在大陸上。力行很想給表姊介紹，又怕表姊生氣，就是這麼回事兒。」

「啊！」亞芳愣住了。關於婚姻的一切，例如她爲何貼四十邊兒上了還沒有結婚，她曾否有過戀愛的過去等等，從來沒有跟表妹談起過。因爲跟表妹差了一段年齡，又是來台灣後才認的這門表親，加之表妹夫一直都是很禮貌的，以敬重老大姊的態度對待她。所以這樣突如其來的問題，倒叫亞芳難以置答了，她衹好半玩笑地說：

「宗瑜，你們夫婦什麼時候又把念頭轉到我身上來了？」

表妹分明是怕亞芳生氣，急得又紅了臉：「表姊，不是跟你開玩笑的喲！力行早就想給張先生介紹一個女朋友，因爲張先生人好得很，可是在台灣找合適的外省小姐眞不容易，力行就想到表姊了，年紀也合適，張先生今年四十六歲，地位也不錯。」

不知是否表妹的話裡有語病，還是亞芳因了年齡的關係，在婚姻上未免有些自卑感，她覺得表妹夫婦所以要把她介紹給張先生，原來是「在台灣找合適的外省小姐不容易」，刹那間這念頭流星樣的掠過她的心頭，但她隨即做出滿不在乎的神氣說：

「這麼大歲數了，還結什麼婚！」

大概是表妹又拙於辭令了，暫時跌入沉默中。亞芳覺得不合適，想找話來緩和這僵持的空氣，便指著桌上那瓶杜鵑花問：

「咦，怎麼這時候了，還有杜鵑花，草山的早就一敗塗地了！」

「是的，這是從院裡一株遲開的杜鵑花摘下來的，喏，看。」表妹指指窗外。

可不是，有一株盛開的杜鵑，倚在牆角孤孤單單，可是那簇簇粉紅的花朵也頗有點傲然的神氣，它是這小庭院裡唯一遲開的杜鵑。

「表姊。」

「嗯。」

「如果把你比做一株遲開的杜鵑不可以嗎？開得雖晚，又有什麼關係。」

亞芳鼻尖貼在玻璃窗上，望著那株杜鵑，心中若有所思，沒有答話，表妹又接著說：

「力行這次出差到南部去，那位張先生也要出差到北部，可能一道回來。如果表姊同意的話，大家何妨見見，先交交朋友也沒有關係。」

亞芳回過頭來淡然地一笑，回答了一句未置可否的話：

「你們賢夫婦是要給我介紹定了！」

但是回到宿舍的亞芳卻思潮起伏，她念念不忘表妹家裡那株遲開的杜鵑和表妹聰明的比喻。

來台灣三年了，搬進這間宿舍也有兩年多，對面床上的小姐換了四、五個，眼看她們一個個結婚搬走了，現在床上又是空空的，不知道明天又要搬進哪一位單身小姐來。想到這裡，她的視線不由得從甘蔗板上掉下來。落到對面空床上，空床好像一張平板的臉向她冷笑，她一賭氣又把視線收回來，轉向窗外望去。眼力所及祇有一棵被微風吹動的榕樹和一塊正在輕移的浮雲。當一個人的思想來臨的時候，即使一雲一葉都能引起無邊的思潮，回憶的網也撒開來了：

和婚姻發生不著邊際的關係，該是從女師畢業那年開始的，從P城夾著文憑回家，白髮蒼蒼的寡母樂得滿臉皺紋綻開了花。她也覺得熬了一張文憑，從此可以貼在母親的身邊奉養她，守寡後的母親守著唯一的女兒掙扎了這許多年，如今總可以稍息肩仔了。可是母親偏偏閒不下，回家的第三天，就向亞芳提出了婚姻大事，對方是姨表弟，那個比她小了兩歲的小鎮上的公子哥兒。

姨父在鎮上有兩個米莊，北方多荒年，可是最能產生富米商。姨母一輩子就生了這麼一個寶貝兒子，她常得意地說，要不是姨父給表弟噴了兩口鴉片，今天也許成絕戶了，因此對於表弟無微不至，眞是頂在頭上怕掉了，含在嘴裡怕化了，不知怎麼嬌養才合適。從城裡的中學畢業後，就回到鎮上當大少爺，病病怏怏地，有氣無力。亞芳讀書在外難得遇見他，可是每逢看見他那副可憐兮兮的樣子，就不由得納悶，這樣的男人對於他自己的生活，會有什麼感想？

和表弟談不來，沒話說，不過是點頭之交，誰想這會兒母親竟提出這門親事來了，原來是憐憫的心情，不知怎麼變得極端厭惡了，她不由得氣惱地對母親說：

「娘怎麼這樣糊塗！」

斬釘截鐵地給拒絕了，母親是懦弱的女人，抹著眼淚歎氣，嚇得以後再也不敢提了。

回到這小鎮來，就像給小鎮添了一隻鳳凰，來說媒提親的婆婆媽媽踏穿了門檻，做娘的頭回就給嚇回去了，來了說媒的，便望著板著面孔的女兒向來人努嘴、擺手，怕招惹女兒。亞芳也討厭這些三姑六婆，見來了人便把嘴唇閉得死緊，一絲兒笑容都沒有。鄉下的婆娘哪裡見過這麼大學問的女人，便都嚇得不敢登門了。

如果說亞芳有什麼對於母親感到歉然的，在她多年以後偶然想到時，便是她在母親的生前終於沒有結婚這一事，該是最使母親死不瞑目的了。三年的教書生活過得很平靜，沒想到突然失去可憐的母親，母親死後從此人海漂流，便一直過著沒有家的日子。和職業不斷地轉戰，從這個單身宿舍搬到另一個；有時朋友家借住；有時親戚家貼伙食，日子就這麼零零碎碎地打發了。可是這些年來爲什麼就沒有走上婚姻之路，她可就答不出來了。

並非爲抱獨身主義，而且曾是許多追求者的對象，沒有一個具體的原因，可以解釋出她和婚姻的絕緣。說是歸罪於開頭的不利，對表弟的印象太壞了，因此對婚姻有了惡感？說是自己的理想太高，可是她心目中從沒有過理想丈夫的標準。也許是自己太寡情了，缺乏青春的熱情？或者是事業心重於家庭嗎？那才怪，江湖混跡這麼些年了，也不過是從教小學爬到中學教員，好像從事職業的目的一直是爲了解決生活，從沒有過偉大事業的心胸。總而言之，這都不是絕對的理由足以使她拒絕婚姻的。

對世事似乎有一種難以解釋的淡然的態度，日子便在淡淡中打發過去。可是眼看自己的年齡已經給世人帶來某種觀點時，她也不免懷疑，自己的生存是否毫無意義？而且對於過去所厭惡的事事物物，竟也有了溫情的回味，過去樣樣情形似乎都比現在好。有些人被她拒絕得那麼堅決，現在想起來未免傻氣了一點。

在P城女中教書的時候，該是她的全盛時代，因爲常常代表學校去參加各種集會，或者領導學生到外面參加活動，和外界接觸的機會多了，認識的人也多了，傾慕的男人便接踵而至，有些她連名字都想不起來。

在隔壁男中教書的李，是對亞芳苦纏不已的一個，頭髮中分一輩子不換樣的，矮個子，藏青的小西服，玳瑁邊的眼鏡，「一輩子也不嫁這樣的男人」，見了李，她噁心，心裡就這麼起誓。後來亞芳把李介紹給一個中學的同學，誰知兩個人一拍即合，亞芳心裡冷笑，男人的愛情就是這樣的嗎？後來那位同學居然害怕男的不忘情於亞芳，竟露出不願意亞芳參加到他們中間來的意思，亞芳氣壞了，曾在宿舍挑著眉毛諷刺著：「男人就這麼稀奇？」

帶學生去參加話劇團演戲，還惹來了一個剛從藝專畢業出來，沒有正式職業的鬼導演，那時學生演話劇的風氣盛，這位客串的業餘導演，便有的是時間泡女學生。住在西城的公寓裡，吃了上頓沒下頓的窮藝術家居然也在亞芳身上打主意，亞芳看不得那種長頭髮，黑領花的打扮，見了他就轉過頭去，冷得像冰一樣。

她還想起那個到美國麻省理工學院留學的張來了，是姓張嗎？她有點兒鬧不清了。那麼可笑的竟在出國前要人介紹認識她，認識她不要緊，到了美國就寫起熱烈的情書來了。她心裡有數，念完碩士念博士，來日方長，剛認識就要慢慢的等，多渺茫，多遙遠的愛情。她沒有回信，那邊也冷下來了，從此沒了消息。

應該是充滿了火般熱情的青春，亞芳卻是又冷又傲，對於追求者沒有一點施與和憐憫。一個浪漫派的小說家曾經因爲追求不得而形容她說：「那是一個高高的，冷冷的，帶著薑汁味的女人呀！」

這些可能與她發生婚姻關係的追求者，後來都到哪兒去了呢？像銀幕上的人，在黑暗中神靈活現，可是燈亮了，他們卻無影無蹤！

有一陣子她對婚姻的本身起了懷疑，而且厭惡。抗戰時住在離重慶不遠的半山上，偶然下山到同學家去走動走動。總是乘興而去，敗興而返。幾個同學都結了婚，拖著三個、四個孩子，愁眉苦臉地，除了孩子，就是日子。不知是爲同情她未婚的境遇，還是眞正實話，同學們見了她總異口同聲地說：「多玩幾年再結婚，可別受這罪！」那話對她誠然是忠告，不管說話的人本意如何。她簡直不要結婚，如果每個結婚的女人都不外如此的話。她覺得近代的女性高唱婦女解放，卻明明是給自己再加上一道箍，她們既離不開家庭，又捨不得放棄那點新女性的自尊，生活在矛盾的思想裡，憋得透不過氣來。她對婚姻懷疑，對現實不解，因此她連同學家也少走動了，和她們的生活好像脫了節，索性蹲在半山上，守住辦公桌不下來了。

就是這麼，她走的路和婚姻的路，竟是背道而行，漸行漸遠。她回頭看看，不信那不知不覺所走過的，竟是那麼長遠的一段了！是什麼時候，人家又把她列入女人所最恐懼最忌諱的名堂裡了呢？

「該結婚了！」她不是沒這麼想過，每次參加友人的婚禮時，她都可以聽見這樣的玩笑：「幾時吃你的喜酒呀？」但並不是對她，而是對那些年輕女孩，好像她已無福享受這句含著無限憧憬的話，時間多殘酷，人家已經把她當成了什麼，她知道。

她也知道，在許多談到婦女與婚姻的場合裡，人們多麼會避重就輕地顧慮到在場的她，就好像客廳裡有了痲臉和狐臭的人，說話總要有三分戒心。可是她也知道人們在背後會怎樣談論她：「她怎麼還不結婚？」歸根總是「高不成，低不就」，這話並不錯，她雖無太高的目標，但也不能「人盡可夫」呀！但因此婚姻對於她竟成了困難的問題了。

續紘是像她這樣女人的歸宿？在台灣的幾年中，偶然有人向她提到婚姻，總也出不了這圈子，她甚至於懷疑那些人是眞的死了太太，還是存心要弄個「反攻夫人」呢！但就是這樣的機會，對於她也是難得的了。

因此對於表妹的美意，她倒覺得値得考慮一下，正像表妹所說，她何妨試試看，試試看。

也許終於有一天，離開這間單人宿舍，離開這張單人床吧！

亞芳從床上驀地站起來，那竹床經不住她這一動，又吱吱亂叫了。

坐在鏡前梳妝的亞芳，望著床上幾件旗袍發了愁，她不知道今天的宴會應該穿哪一件對她更合適些。她隨便拿起一件綠旗袍比在身上，對著鏡子下意識的一笑，希望這一表情能給她一個圓滿的答覆，但是當她看見鏡中人的眼梢彎起魚尾樣的三條細紋時，突然一股莫名的悲哀湧上心頭，究竟自己還剩幾分姿色？青春眞是一瞥即逝嗎？

為了使自己的裝扮不要被人看做是「顯然下過工夫的」，亞芳著實下了一番工夫。她不知道對方是怎樣的一個男人，表示自己對於這件事的淡然之態，她什麼都沒向表妹打聽。唉，祇要那人不是豬八戒，她也願意把握住這個對於她已日漸難得的歸宿。「歸宿」，她以往多麼恨人把這兩個字加到女人的身上，可是她不得不承認，對於單人宿舍的生活，已經有了終非長久之計的感覺。

坐在三輪車上，思潮還沒有打斷，她勸自己不要太矛盾，太顧慮，把心情放鬆些，可是簡直不能夠。她從沒有像今天這麼激動過，因此車子過了表妹的家門，她兩眼還直直地向前望著，心裡沒頭沒腦地不知盤算些什麼，若不是等在門口的小外甥們喊「表姨，表姨」，車子就要出巷口了。

表妹夫婦迎了出來，比往日更有禮貌，嘘寒問暖，善意的微笑，她怕那種笑，笑裡含著「盡在不言中」的同情，她不要人同情！

走進小小的客廳，裡面已經烏壓壓的圍滿了客人。趙、錢、孫、李……妹夫一一為她介紹，她嘴裡笑，心裡煩，雖然順著妹夫的介紹點頭，可是一個也沒記住。她祇怪妹夫為何請了這許多人，為來看熱鬧？還是為沖淡介紹朋友的拘束空氣？接著妹夫好像加重了語氣：

「這位是張蔭祥廠長，這是我們的表姊韓亞芳小姐……」

張蔭祥？好耳熟的名字！她希望自己的耳朵沒有聽錯，啊！對面站起來的正是那個張蔭祥，一點兒也不錯！多麼奇妙的巧合，前天這個人還在她的回憶之海中打了一個滾，那麼輕輕地一滾！兩對驚奇的眼光相碰，亞芳連忙低下頭來，拉過站在身邊的小外甥的手坐下來，揉握著。

空廳中的空氣，突然因爲進來一位陌生的女客而跌入剎那的寂靜，妹夫爲打破這悶人的空氣吧，扯高了嗓子喊：

「宗瑜，可以吃了嗎？」

客人們也藉著主人這一聲哈哈笑起來，其實這句話有什麼可笑，可是亞芳也不得不跟著大家抿著嘴笑了一笑，因爲大家都是善意的要把這拘束的空氣緩和下來。

一陣讓坐又一場熱鬧，把亞芳正好安排到張蔭祥的對面，團團的圍住一圓桌。看桌上令人滴涎的美餐，大家又異口同聲地讚揚女主人的能幹。表妹客氣地推讓著；妹夫得意地傻笑著；身後三個蘿蔔頭，每人手中一個小碗在敲敲打打，嚷著要菜菜；另一個坐在小車裡的最幼小者，急得也要竄出來，表妹鼻尖掛著汗珠，連忙跑去扶抱，屋裡有些亂哄哄地。

「家，這就是家！」亞芳望著表妹的背影，那因生多了孩子的粗蠢的腰肢，像一根肉柱。「這便是女人所嚮往的歸宿嗎？世人所追求的，所厭惡的，可是又不斷地勸人入夥的，便是這樣的家嗎？」亞芳有些迷惘。

她不由得把視線又落到桌對面，對面的人正低著頭啃一塊雞肉，稀落的頭髮已遮不住頭頂的一塊光禿。「科學家的頭頂總要禿得早些，」她心想，「不知他到美國可曾得了博士回來嗎？可能是，因爲已經做到廠長的地位。」當初怎麼就那麼輕易地丟棄了這個人呢？……也是一個宴會席上，主人給她介紹認識了在工學院擔任講師的張蔭祥，聽說他即將出國深造。第二天張蔭祥就來女中拜訪她，根據經驗，她已理會出張蔭祥一定對她有了好感，但是她卻對他談不上特殊的感情，既不壞，也不好。臨出國前，他又再次訪問，並且傾慕地要求以後時常通信，她雖答應了，也祇是普通友誼上的禮貌。她記得那天張蔭祥還要求她一道去吃晚飯，她推辭了。「沒必要，」當時她心想，「泛泛之交，用不著做出依依惜別的姿態。」

果然出國後熱烈的情書寄來了，一封、兩封，那些情感句子並沒有挑動她，而且她心目中還存一個念頭：可笑這人的無聊。他以爲她會把他當做情人似的等待，等他念完碩士、博士，回來跟他結婚嗎？那是不可能的事。那麼對於回覆這樣的信，她也無法措詞，便擱置在一旁。以後，他在她的印象中便很快地消失了，因爲他們究竟還談不到友誼……。

「韓小姐還在教書嗎？」

她停著愣愣地回憶，沒有聽見對面人的問話，還是坐在身旁的表妹撞了她兩下，才從回憶中醒過來。

「啊啊！是的，在女中教史地。」

對面的人含笑點點頭，她忽然疑惑到那笑意中不含有譏誚的成分嗎？笑她若干年來還沒有離開教書的崗位，從北國教到海島，還在中學裡和一群黃毛丫頭打交道？想想當年的追求者，在學業、事業、婚姻都有了成果，相形之下，她多羞慚！像一個健康人的體溫表，一點兒升降都沒有，太平凡了，健康的人有時也會有小熱度呀！

她偷眼望望他，他是比多年前胖了，筆挺的西裝，襯著一顆大而微禿的頭顱，但是這禿頂看上去並不太討厭，似乎更增加了他身分的尊嚴，她對他要重新估價了！在他身上彷彿她已觸及淡淡的溫情，她連他死去的太太都有點兒嫉妒了，這男人本來是應當屬於她的！如果她今天重新把握這機會，會嫌太晚嗎？

亞芳相信張蔭祥不會忘懷她，可是在這祇裝作初識的尷尬場合中，她卻無法知道他對於今日重逢的印象如何，他仍記憶多年前曾對她的「一往情深」嗎？他會很不原諒當年她的冷漠嗎？如果以後他眞對她再度追求，她應當怎麼表示？可是他能夠嗎？她已經不是當年的亞芳了，時間在她身上也許留下不少烙痕。她也知道，她雖然仍是那「高高的、冷冷的」，可是那點「薑汁」味卻散發了。

這一頓飯，亞芳吃得不知肉味，表妹不斷地讓菜，夾這夾那，菜碟堆得尖尖地，最後表妹似乎也覺出不對來了，問說：「表姊今天怎麼啦？吃得這麼少？」

亞芳用手按住心口，眉頭一皺：「這兩天胃不舒服。」

其實她的胃何嘗不舒服，倒是心眞的不舒服了。她恨不得立刻飛回宿舍，躲在冰冷無情的單人床上痛哭一場，她賭氣自己爲何有這許多雜亂的念頭，矛盾又疑懼。

客人陸續地散了，亞芳也起身告辭。回身拿皮包的當兒，好像表妹又安排好了，示意叫張蔭祥順路送一送，亞芳和張蔭祥便一同走出了表妹的家。

街燈的微光，把一對行路人的影子從扁扁寬寬拉到斜斜長長，兩個人起初沒有說話，祇聽見兩雙皮鞋走在平坦的柏油路上，一個咯達咯達，一個吱喳吱喳，越走節奏越有規律。總是男的應該先開口吧，張蔭祥說：

「我們有多少年沒見了，韓小姐！」這不是句問話，而是一句對時光流逝的感慨。

「是呀，有十幾年了吧！」

「眞想不到特意到台北來見的卻是你。」說話的人笑著。

「可不是，表妹請我來吃飯，我也不知道請的是你。」

「如果知道呢，來不來？」

亞芳笑了，張蔭祥也笑了，把兩人間見面就存在著的尷尬空氣沖淡了。

談談目前的工作和生活、兩個人和表妹夫婦的關係，以及十幾年前別後各人的情況，張蔭祥忽然轉了話鋒：

「韓小姐，爲什麼當年不肯回信給我，對我印象太壞了，是嗎？」

「當年的情緒不記得了，」亞芳撒了謊，她明明記得清清楚楚，但隨即覺得不合適，又微笑地說，「也許當時有一種感覺……」不知怎麼修辭，她又停住口。

「哪種感覺？」對方迫切地追問著。

「是感覺到和你剛認識，彼此還沒有什麼了解，你就出國了，好像不容易建立起長久的友誼，所以就沒……」

張蔭祥斜著頭傾聽。「原來是這樣的。」他說。

前面就到了，那是很容易認清的地方，宿舍的門燈總是通夜的亮著，隨時都在迎接晚歸的人。衹這一點對獨身者還能感覺到一些「家」的親切。

「到了。」亞芳說。

「到了？」張蔭祥說。好像有點嫌太快了。

亞芳停在虛掩的門前，準備說兩句免不了的道別的客套，但她是多麼期待他們的關係還有新的進展，不要就此完結。

「那麼，再見了！」他伸出手來和她握著，她感覺那大而熱的手掌又加重地握著她，「現在你肯答應和我通信了嗎？這一回我可沒有出國啊！」

亞芳輕輕縮回被緊握的手，對面的人向她凝望著，眼睛裡充滿了祈求和渴望，她被這溫情融化了，像浸在暖水裡，輕飄而微熱，她垂下眼簾並且微微一笑，女人默許的記號！同時一個意念掠過她的心頭，表妹說的：「把你比做一株遲開的杜鵑，不可以嗎？」啊！爲什麼不可以呢！

四十一年九月

風雪夜歸人

《風雪夜歸人》一劇在C市上演相當成功，當我讀到報紙上對於女主角李明芳——她現在藝名叫海燕小姐了——的讚揚，眞是開心極了，立刻寫信去祝賀她，我說我有這麼一個成名的同學與有榮焉；我說一個有了兩個孩子的母親勇於走出廚房幹她自己的事業，眞是前途無量；當然，我更會說點兒什麼「成名之日可別忘了老同學呀！」那類酸溜溜的俏皮話。

過兩天綠衣人果然送來一封厚厚的回信，我以爲老同學得意之餘，居然沒忘掉我，這沉甸甸的一疊信紙，該是跟我暢談成名之樂吧？誰知打開來一頁頁讀下去，卻滿不是那麼回事。

……今天是《風雪夜歸人》上演的第二個星期，我在觀眾熱烈的掌聲裡出場再三，他們才饒了我。汽車送演員們回家，半路車子偏偏拋了錨，大家祇好下來各自走回去，因爲時過午夜，街上連人影都沒有了，更喊不到街車。你知道我們家住在市區的邊緣，我雖已習慣夜歸，但像今夜這樣一個人走回來卻是難得。萬籟寂靜，遠處偶然傳來幾聲犬吠，天空之下，衹有亮得發青的月光伴我歸來。我腦子裡還印著剛才劇場情景，那熱烈的掌聲還在耳邊響，但我近來有這種感覺，掌聲越高，孤零的意識越強烈，像今夜當觀眾們滿意而歸時，又有哪個曉得我這時被扔在野外踽踽獨行？這半年來個中苦楚，又哪裡是老同學你能想像到的？

回到家門，你知道我必須輕輕推開虛掩待我歸來的板門。我越怕它響，它每次偏要吱的一聲才肯開開。進門先脫去高跟鞋，躡手躡腳往裡走，是怕驚醒了熟睡的家人。我見臥室的燈已滅，窗幔也放下，知道他也睡了，你不知道他以前總是很興奮地等候我無論多麼晚，現在這種興頭減去了許多。

我先得到廚房去一趟（你會以爲我走向舞台就離開了廚房嗎？）廚房的燈還沒有關，暗黃帶著塵埃的燈光，寂寞地照在灶台上，那上面堆滿了該是一天都沒刷洗的鍋碗，圍裙找不到，帚把、煤鏟也都換了地方，我一樣樣收拾著。泰戈爾有句小詩怎麼說的？「婦人，你用了你美麗的手指觸著我的器具，秩序便如音樂似的生出來了。」這家庭沒了婦人，就沒了秩序。

我把洗好的碗放進小櫥，才發現盤子裡有一封老同學的來信。我高興極了，心裡不免埋怨他把我的信胡亂擺，孩子們丟進火爐裡怎麼辦？可是我看完你的信苦笑了，我以為我的老同學應當知我最深，誰曉得她也站在觀眾群裡亂鼓掌！

回到臥室來，我捻開燈，屋裡刷的亮起來，刺著熟睡人的眼，他們在驚夢中翻個身。他也許太疲乏了，和衣倒在床邊，一雙胳膊還摟著二寶，孩子們的被踢開了，晾著身子，冷得縮成一團。我搖搖頭，——唉，男人們哪裡會弄孩子？我為他們蓋上被，不覺低下頭來端詳了一下我那失業將近一年的丈夫，——紹清這些日子更瘦了，兩頰像削去了兩塊肉，鬍子該刮，頭髮也不理，一副倒楣像！一天三餐連帶孩子，本來也難為他，我越出鋒頭，他越晦氣，但我又豈是願意出鋒頭的。

我們一家四口本來經不起失業，他事情掉下來兩個月，我們就支持不住了，那段日子我曾對你講過。正在走投無路的時候，報上登出了招考話劇演員的廣告，我看待遇還不錯，硬著頭皮去碰運氣，我安慰他說別著急，如果我考上了就先對付些時，等他找到事我再退休，算是先救燃眉之急。我並沒有想到有半年後的這種情形，更沒想到快一年了，他的事情還是沒著落。

我們剛改變生活，還覺得新鮮有趣，我晨昏倒置，晚歸晏起，他乾坤旋轉，主持家務。晚上他常常坐候夜歸的妻，也偶然高興帶了孩子們去看我給人家當配角的戲。後來我在舞台的地位漸漸提高，等到當了主角，也才漸漸覺出不是滋味來。

我們還一直沒有能力雇一個傭人，他被家務纏身，外面的關係便完全隔絕，一天天拖延，人變得頹廢了，對於廚房的雜務也沒有起頭的新鮮勁兒，像今天廚房裡的堆積，並不是頭一回呀！

你還記得嗎？在學校時你我都是演劇能手，我也傾心過明星生活，省了點心錢全部買明星照片。誰知當年夢寐難求的幻想眞的漸漸輪到我時，我竟這麼害怕，我厭惡掌聲，怕他們會拍扁了我。

當我盛裝回家來，看見紹清獨坐在桌前看閒書，心中竟感到莫名的抱歉，好像有什麼對不起他的地方。我有時跟他講講外面所聞所見，他聽了似乎沒那麼大興趣了！當然有許多地方我沒有向他說明的必要，就如自從做了主角以後，外面的應酬多了，在宴會席上就有不知多少令人難堪的事，有一次我們的團長居然低聲對我說：「給對面那位局長敬杯酒去，他對你的印象還不錯！」這是什麼話？這是什麼話？我看一眼那局長，誰知他也正望著我，還對我那樣難以形容地一笑，氣得我渾身發麻。那天我回到家裡竟不敢靠近紹清，我不知怎會有了一種好像背著丈夫有什麼不貞潔行爲似的內疚。我跟你講，又不知有多少回的場合裡，那些專吃女人豆腐的男人竟喊著：「請海燕小姐唱一段流行歌曲——四季想郎！」於是掌聲四合：「海燕小姐，四季想郎，海燕小姐，四季想郎！」

他們拿我當成了什麼？我的老同學，你總該讀過不少關於蕭伯納的笑話，是不是有一個故事說，有一次一個成名的女伶向蕭伯納請教今後的途徑時，蕭伯納卻給了她這麼一句：「去嫁人吧！」從舞台走到家庭是歸宿，我卻從家庭走到舞台來兜風。

出了名，反而加重我心情的負擔，我因心疚更疼愛孩子，他反而不耐煩打得凶，我知道他失業這麼久了，心情會不好。可是我們近來連一句知心的話都沒有了，他又不是沒見過世面的，他還猜不出太太在外面出鋒頭，當明星的那些噱頭嗎？他還不知道我對他講的外面所聞所見，是保留了一些什麼關於我自己的地方嗎？自然我們中間就有了隔膜——我不說他也知道的那種隔膜，這就是爲什麼我會有孤零的感覺。

我的老同學，我說過的我們原經不起失業的折磨，我恨不得他明天就找到事（哪怕小小的雇員），我明天立刻就回戲，我寧可附屬於我的丈夫、孩子，也不要那些什麼觀衆！我要回到我的小廚房裡刷刷洗洗，我要享受在燈下爲一家人縫補的那種安靜生活。我有多久沒有聽見他把腳踏車推出去時說聲：「上班去啦！」那種快樂的聲音了！我有多久沒有得到站在門前張望，聽大寶、二寶喊著：「爸爸下班嘍！」那種安慰了！我要做的是一個平凡的妻子，我寧願日日在黃昏時等候他那腳踏車騎到門前戛然而止的怪聲，也不要做一個躡手躡腳走回家門的「風雪夜歸人」……。

我放下明芳的信，心裡覺得不是味兒，低下頭來眼睛卻正好落到一張報紙的新聞上，那上面說，《風雪夜歸人》因爲觀眾一致要求，故再續演十天云云。

四十一年三月

陽光

我的師娘從板橋鄉下寄來一封信，她在信上說：

我不信你在煩囂噪雜的台北會住得這麼起勁兒，三番兩次都請不動你。這裡的杜鵑花早開了，我今年又把庭前美化一番，沿籬笆有一排美人蕉，進門的人行路也鋪上了碎石子。你更想不到，我已經把你所討厭的那兩棵垂著長鬚的榕樹給鋸掉了，這麼一來，你所喜愛的陽光便可以充分曬進這條寬寬的走廊。我在走廊的這頭放一張書桌；那頭擺四張籐椅和一個小圓桌。早晨我們母女三人坐在三張籐椅上沐浴陽光，——那一張空著，明明是等你，這個週末你如果再不來，你會後悔又失去一個可愛的春天。而且，清清和潔潔也真想念你。……

……

我接到這封信時，已經是星期六的下午了，我把信塞進外衣口袋，趕緊找出一身睡衣來，就這麼簡單的袛提了一個手提袋，趕五點二十分去板橋的火車。

在火車上獨坐無聊，我又把師娘的信打開來仔細讀著。師娘這幾年顯然老多了，記得去年她剛搬到鄉下，我去時還從她頭上拔下好幾根白頭髮來。可是她永遠這麼富有風趣，說說笑笑和十年前沒有兩樣，但是她目前的情景和十年前卻是不同了。

十年前在北平，如果是週末，你一定會在西城鮑家街的一所幽靜住宅裡發現我，那便是這位師娘的家。我的老師是畫家兼酒家，他醒著和醉著，在我看來，好像沒有什麼分別。在學校裡，我雖是圖畫課的劣等生，但在他府上，我卻接受到師娘的寵愛，原因是在另一個學校教國文的師娘，有一天偶然到我們班上參觀她的丈夫教學，竟無意中發現了像她死去的妹子的我。從此週末下課後我不回自己的家，卻逕向鮑家街的老師家去，和疼我的師娘盤桓到星期日的晚上，才戀戀不捨地回家來。

鮑家街的房子是一排五間帶廊的北房，那條寬寬的長廊，眞令人難忘！師娘愛布置房間，走廊也不放過，廊簷下掛著兩盆麥冬草，長長的垂下來，廊前石階長年擺著四季不同的盆景，是月季，也許是秋菊，廊下放著兩張可以搖動的躺椅，我喜歡躺在上面，把三歲和五歲的清清、潔潔摟在身上，來回的搖著，沐浴在溫暖的陽光裡。這裡的陽光眞可愛，它穿過長廊一直送進寬大的玻璃窗，剛好落在老師的畫桌上。當老師揮筆作畫的時候，師娘便放下了手中的針線或學生們的作文本，給老師調色、鋪紙，我們就躲在窗前看，一看就是老半天，連清清和潔潔都乖乖地不會吵。這樣一家人的生活，我至今想起來，仍覺得十分的幸福。可是不知爲什麼，後來老師和師娘竟分手了，好像是老師有了另外的女人的關係吧，又好像沒這麼嚴重，總之，我那時還是個孩子，沒有深研究過這件事，祇是聽人家這麼講。我又聽說老師親自送師娘和兩個孩子上火車回南部，竟像送一個常旅行的朋友一樣，並沒有一些兒女私情。後來年代久了，這件事被淡忘，大家也不再談起。不過我一年年長大，反而對於他們的分居越加不解，我不懂得師娘怎麼會這樣樂觀大方，她好像完全沒把那回事放在心上似的，既不怨恨也不悲觀，我不信分居之時，我的師娘竟能自恃若此……。

板橋到底不遠，我手拿著信還在回想，卻已經到站了。半年多沒有來，車站也面目一新，剛站起來，車窗探進兩張小圓臉兒，笑嘻嘻地喊我，原來是清清和潔潔姊兒倆來接車，兩個小姑娘的個子已經趕上了矮矮的我，一邊一個，連推帶擠，我們才算出了車站。

穿過鎮街還要走上一段田埂，才到她們美其名叫做「別墅」的家。在路上兩個小姑娘說，今天接了我三次。「這一次再接不到，」清清說：「我媽媽說明天要到台北跟你算賬！」我說：「好凶的師娘呀！」我們嘻嘻哈哈走到時，已經暮色蒼茫，「別墅」在蒼茫中模糊了，只見那高大的椰樹在晚風中搖頭，走近跟前，發現師娘正站在門前等待，她看見我來了好高興。我說：「不失信吧？師娘！」她捏著我的嘴巴說：「小鬼！」

鄉下的生活要比都市提早兩小時，第二天早上七點鐘，我們已經梳洗完畢，坐在廊下吃點心了，推開走廊的窗門，庭前美景立刻映入眼簾，我不由得「啊」了一聲，和師娘信上所描繪的，一些也不差！師娘指著廊下的陽光說：「這陽光怎麼樣？和鮑家街的差不多吧！」我撫摸著被曬暖的旗袍，低頭看著走廊光亮的地板，心中不禁想道：陽光到處是一樣的，它今天走了，明天還會來，祇是師娘的頭上更添了幾莖白髮。這家人還是這麼快樂，眼見兩個女兒長得亭亭玉立，做母親的心裡當然無限快慰，可是，可是——我搖搖頭，師娘說：「怎麼？你覺得這裡的陽光不同嗎？」我那時想說：「當然不同，這兒的陽光裡究竟少了那個男主人！」可是我並沒有這麼說，我一抬頭看見師娘慈愛而懸疑地對我望著，旁邊是兩張充滿了稚氣的笑臉，我便笑笑說：「當然不同，這裡又不是鮑家街！」師娘也笑了。

回到台北，給師娘的信裡，我終於忍不住地說明我當時眞正的觀感，我並且說對於老師和師娘的分居始終不解，我又說我不信這些年來，師娘那種淡然處之的態度是發自心底的，我也不信當年分居之日，眞像別人所說的，師娘竟是這麼堅強地絕裾而去？

師娘的回信來了，果然被我一串疑問引出了她的心語，她說：

你既然要探師娘的心底，那麼我也不妨對你講，你的師娘在她和你的老師分居之日，並沒有這麼硬心腸決心想拆毀一個完整的家，她衹因為是一個受過教育的女性——像一切這類女性一樣，當然有著她們相當程度的矜持，可是你的老師竟是這樣一個缺乏了解女性的藝術家！我可以這麼說，在我們分手之日，如果你的老師肯抱著兩個孩子向我深一步的懺悔，那時我也許會哭倒在他的懷裡，我無論多麼剛強，畢竟是女人。可是你的老師到底不是像你所說的那陽光——今天走了，明天還會來的，我們便這樣分手了。……

我更進一步的了解我的師娘，但也毋寧說，我是更進一步的了解我們女性吧！

四十一年二月

重光版後記

這本集子共包括三十二個短篇，是就歷年發表的作品中選性之相近者集結而成。並照的建議分爲五輯，以求醒目。

第一輯是一個薪俸階級——也就是作者自己的家庭生活的描寫。這個家庭裡，除了夫婦二人以外，還有老人，有孩子，有書桌，有雨傘。這正是目下最常見的家庭形式，描寫了這一家，也反映了這個時代的許多家庭。

第二輯是幾篇夫妻間的生活情趣的記述，它雖然不是實事，但卻是以目下一般家庭的生活、人物爲背景而寫的，因此也就和第一輯的形式近似。

第三輯以兒童爲中心，不過談的雖是兒童，或用兒童的口吻來寫，有的卻表現的是成人的問題。例如〈白兔跳〉一文，便是聽了我的嫂嫂和姪女的報告，在農村小學中還有這種變相的體罰的紀實之作。

第四輯大半是以第一人稱，照「眞實的故事」方式寫成，所以當初發表時，除

〈爸爸不在家〉一文外，都用的是筆名。每篇都提出了一個問題，比如對於女人再嫁的問題，便以三個不同身分的人，各寫出他（她）們的故事。這些文章，當初有很多信以爲眞的讀者投寄書信，有所支持或商討，使我無法答覆，現在謎底總算揭開了。無論如何，這些問題仍是時刻存在著，讀者可以以研究問題的心情來重新看它。

第五輯是幾篇婦人心理的描寫，把它們收集在這裡，無非希望能引起讀者的共鳴。

其次談到書名的問題，在目錄裡挑來挑去，全不中意。〈鴨的喜劇〉，像童話；〈愛情的散步〉，費解；〈平凡之家〉，近年《××之家》太多了，不願意去湊熱鬧；最後還是落到〈冬青樹〉上，這也可以表示我出版此書，目的在祝禱人間的愛永不凋謝，像冬夏長青的樹木一樣。

最後我應當感謝重光出版社，在出版業這樣困難的情形下，冒了賠錢的危險，爲我出版這本文集。

四十四年雙十節

國家圖書館出版品預行編目資料

冬青樹／林海音文

初版，——臺北市：遊目族文化出版；城邦文化發行，2000〔民89〕

面：　　公分——（林海音作品集）

ISBN 957-745-307-4（精裝）・ISBN 957-745-308-2（平裝）

857.63　　　　89003552

〈林海音作品集6〉

冬青樹

文／林海音

策劃／王開平

責任編輯／張玲玲、杜晴惠、張文玉

美術編輯／林意玲

封面設計／沈月蓮

出版者／遊目族文化事業有限公司

編輯所／台北市新生南路二段20號6樓

電話／(02)2351-7251

傳眞／(02)2351-7244

發行／城邦文化事業股份有限公司

地址／台北市民生東路二段141號2樓

電話／(02)2500-0888　傳眞／(02)2500-1938

讀者服務專線／(02)2500-7397　讀者訂閱傳眞／(02)2500-1990

郵撥帳號／18966004　城邦文化事業股份有限公司

網址／www.cite.com.tw

香港發行所／城邦（香港）出版集團有限公司

地址／香港北角英皇道310號雲華大廈4字樓，504室

電話／852-25086231　傳眞／852-25789337

E-Mail／citehk@hknet.com

馬新發行所／城邦（馬新）出版集團 Cite (M) Sdn. Bhd. (458372 U)

地址／11, Jalan 30D/146, Desa Tasik, Sungai Besi,
57000 Kuala Lumpur, Malaysia

電話／603-90563833　傳眞／603-90562833

二〇〇〇年五月初版一刷　二〇〇四年六月七刷

ISBN／957-745-307-4（精裝）957-745-308-2（平裝）

定價／三五〇元（精裝）二五〇元（平裝）

感謝財團法人國家文化藝術基金會贊助出版

財團法人|國家文化藝術|基金會
National Culture and Arts Foundation